D0530556

Sibilla Aleramo

Liebesbriefe an Lina

Herausgegeben von Alessandra Cenni

Aus dem Italienischen von Michaela Wunderle

Verlag Neue Kritik

Die italienische Originalausgabe erschien 1982 unter dem Titel "Lettere d'amore a Lina"

Aleramo, Sibilla:
Liebesbriefe an Lina / Sibilla Aleramo. Hrsg. von Alessandra Cenni. Aus dem Italien. von Michaela Wunderle. – Frankfurt [Main]: Verlag Neue Kritik, 1984
Einheitssacht.: Lettere d'amore a Lina ‹dt.›
ISBN 3-8015-0195-7
Vw.: Faccio, Rina [Wirkl. Name] – Aleramo Sibilla

Umschlag Hanno Rink unter Verwendung eines Fotos von S. Aleramo
Druck Fuldaer Verlagsanstalt GmbH Fulda

INHALT

EINLEITUNG

Die Frau, die Anfang des Jahrhunderts an einem eisigen Morgen Mann und Kind verließ, trug Gefühle, Wünsche und Ansprüche in sich, die, wenn auch zusammengeschweißt vom Mut des Bewußtseins, doch noch immer ”fortdauernde Leichtgläubigkeit einer Barbarin“ bezeugten. Sibilla Aleramo existierte durch ihr ”ungestümes Zerren an der Kette“, die auch sie zur Märtyrerin des Gehorsams vor dem *Gesetz des Vaters* gemacht hätte.* Der Verlust ihres Sohnes entsprach dem Verlust ihrer von diesem *Gesetz* anerkannten Identität als Frau, und sie antwortete darauf mit dem Buch *Una donna;* eine andere Überlebensmöglichkeit in der damaligen Zeit.

Sibilla sah bereits recht klar die Notwendigkeit einer kulturellen Revolution, deren wichtigstes Element die Frau der feministischen Bewegung sein sollte. Sie ging bei der Analyse der Gesellschaft von ihrer persönlichen Situation aus, und man kann sagen, daß Sibilla im Grunde eine wirkliche ”Politik der Erfahrung“ realisierte, die, vom individuellen

* So definierte Sibilla Aleramo sich in ihren Tagebüchern

Ich ausgehend, die allgemeine gesellschaftliche Unterdrückung aufzeigt, um – mit Hilfe der Selbsterfahrung – die *Autonomie des Verlangens* zu erreichen bzw. seine Befreiung von sozialen Konditionierungen. Das Konzept der Gleichstellung mit dem Mann heute fügt sich dagegen in einen sozialen Zusammenhang ein, in dem der männliche *Logos* im wesentlichen akzeptiert ist, dem sich die Frau, die *Fremde,* tendenziell anpaßt, indem sie sich die geltenden Instrumente aneignet: dadurch wird das "Weibliche" von sich selbst abgeschnitten und auf "Passivität" reduziert, nur um zu einer "aktiven", "männlichen" Position aufsteigen zu können, Resultat einer falschen Dichotomie und eines naiven Biologismus.

Die Begegnung mit Giovanni Cena* fiel mit dem Beginn von Sibillas neuem Leben zusammen. Die sieben gemeinsam verbrachten Jahre – die 1909 endeten, weil sie ihre Liebe zu einer Frau "entdeckte" – waren für Sibilla Zeit der Selbstbehauptung und des Verzichts zugleich.

Cena war ein Mann von ausgeprägter Sensibilität und nicht ohne sinnliche Züge. Sein unregelmäßiges, angespanntes Gesicht zeugte wie seine Sprache von einem Leiden, das Waffe seiner Opposition geworden war. Von dem Leben in der melancholischen Provinz Canavese und in Turin, wo er studiert hatte, geriet er in den hitzigen intellektuellen Eifer der Hauptstadt und widmete sich dort einem selbstlo-

* Sibilla hatte Cena bereits 1899 in Turin kennengelernt. Ihr Verhältnis begann 1902, kurz nachdem sie ihre Familie verlassen hatte. (Anmerkung der Übersetzerin)

sen Werk, das auf praktische soziale Veränderungen abzielte.

In diesen Jahren wollten Sibilla und Cena einen klar formulierten Entwurf zur Veränderung der Gesellschaft vorlegen, und sie gingen dabei vom Paar als dem Kern dieser Veränderung aus. Die Definition ihrer gegenseitigen Erwartungen und Bedürfnisse sollte allgemeinen, exemplarischen Charakter haben. Die literarische Zusammenarbeit, aber auch ihre aktive politische Arbeit konzentrierte sich in konkreten Forderungen. Cenas *Gli ammonitori* ist ein sozialkritischer Roman im Stile Zolas, und er basiert, ebenso wie *Una donna,* auf gewagten sozialen Inhalten. In *Gli ammonitori* entwirft Cena ein überzeugendes Bild von der zeitgenössischen Krise der Entfremdung in den industrialisierten Städten. Sibilla sammelte durch ihre Mitarbeit in der römischen Sektion der "Unione Femminile Nazionale"*, einer 1899 in Mailand von Ersilia Majno gegründeten Vereinigung, die wichtigsten Erfahrungen ihrer sozialhelferischen Arbeit. Ihr Engagement in einem Ambulatorium für arme Kinder im Testaccio, die Reise nach Kalabrien und Sizilien 1908, nach einem großen Erdbeben, vor allem aber die Erfahrung in den Armenschulen aus den Gebieten zwischen Rom und Neapel+ trugen dazu bei, ihren radikalen Feminismus mit der unmittelbaren Kenntnis sozialer

* Nationaler Frauenverband (A.d.Ü.)

+ Testaccio ist ein römisches Arbeitsviertel, das um die Jahrhundertwende entstanden war. Sibilla, Cena und das Ehepaar Celli erforschten in den Jahren 1904 bis 1909 die Campania und das malariaverseuchte Sumpfland zwischen Rom und Neapel. Dort strömten landlose Bauern und Landarbeiter aus dem Latium, den Abruzzen und

Probleme zu verbinden. Die in der eben gegründeten "Unione Femminile" entstandene Schulinitiative lehnte es ab, nur passiv rezipierten Unterricht zu erteilen, sondern sah den eigentlichen pädagogischen Sinn im Handeln. Für eine Bevölkerung, die teilweise wie Nomaden umherzog, und, isoliert von der Zivilisation, unter Bedingungen der Leibeigenschaft lebte, waren die wandernden oder auch an einem Ort fest eingerichteten Schulen die einzige Möglichkeit zur ökonomischen Unabhängigkeit, und sie trugen bei zu ihrer Befreiung und zu einem ersten Ansatz von politischem Bewußtsein.

Auch in der Presse setzte Sibilla ihr feministisches Engagement fort: sie besorgte in der Zeitschrift "Nuova antologia" die Rubrik "Fra libri e riviste"*, die sie mit dem Kürzel "Nemi" zeichnete. Die Rubrik umfaßte die unterschiedlichsten Beiträge, Kritiken und wichtige aktuelle Informationen über diverse Themen der Kultur. Giovanni Cena war der Chefredakteur dieser Zeitschrift, an der sie acht Jahre lang mitarbeitete; in dieser Zeit richtete Sibilla ihre Aufmerksamkeit kontinuierlich auf die Werke von

der Campania zusammen, Analphabeten, krank und extrem ausgebeutet durch die großen Landbesitzer. Da die Bauern nur kurzfristige Pachtverträge bekamen, zogen sie nach Ablauf dieser Verträge auf der Suche nach Arbeit im Land umher wie Nomaden. Zusammen mit anderen Freiwilligen gründeten Sibilla und ihre Freunde Schulen, die sich rasch ausbereiteten und über Jahrzehnte weiterbestanden. Auf der gemeinsam mit Cena unternommenen Reise in den Süden traf Sibilla auf ähnliche Verhältnisse wie im römischen Umland: Krankheit, Unwissenheit und unvorstellbare Armut. Nach ihrer Rückkehr wurde Sibilla 1909 Mitglied der Gesellschaft zur Förderung der Bildung in Süditalien. (A.d.Ü.)

* Zwischen Büchern und Zeitschriften (A.d.Ü.)

Frauen und die Initiativen der feministischen Bewegungen anderer Länder. Die Überlegungen Sibillas zu dem historischen Komplex Frauen und Sprache oder Frauen und Kunst müssen im großen und ganzen sogar als die ersten Beiträge aus feministischer Sicht in diesem noch wenig und unzulänglich erforschten Bereich betrachtet werden. Bei ihren Sondierungen in der dunklen Vergangenheit der Geschichte der Frauen verfuhr Sibilla so wie jene, die wir unsere "kulturellen Mütter"* genannt haben, sie folgt dem verknäulten Faden der Ariadne, ein Thema, das wenig später Virginia Woolf in der Art der Sophismen ihres Bloomsbury-Kreises aufnehmen sollte.+

Sibilla und Cena entzogen sich jedenfalls dem zersetzenden Gewicht der von ihnen verinnerlichten moralischen Konventionen nicht. Für den Mann ist die Liebe eine solche Quelle der Gratifikation, daß sie ihn die Harmonie erfahren läßt, die ihn für physisches Leiden entschädigt. Im Dichter weckt sie einerseits Inspirationen, andererseits Eitelkeiten und die Anmaßung eines Pygmalion. Cenas Wille, bei seiner Gefährtin eine Art Geburtshelfer zu spielen, gipfelte darin, daß er ihr ein Pseudonym ver-

* Moderne italienische Feministinnen prägten den Begriff der "kulturellen Mutter", der die Beziehung zu Frauen beschreiben soll, die aufgrund ihrer künstlerischen, politischen oder sozialen Werke zur Bildung einer weiblichen Identität außerhalb konventioneller Rollen beitragen können. (A.d.Ü.)

+"Die wirkliche Frau und die Frau im Roman; oder Frauen und die Romane, die sie schreiben, oder Frauen und Romane, die von Frauen sprechen." Virginia Woolf, Ein Zimmer für sich allein, Frankfurt 1983

lieh, das den Sinn hat, ihrem Werk den Stempel des Meisters aufzudrücken. Indem er sie definiert, vernichtet Cena die Frau als autonomen kreativen Körper, um sie dann mit neuen, vagen und sexuell indifferenten Konnotationen in das anerkannte Universum der Sprache einzuführen. Und so überschreitet die *Fremde* verkleidet die Schwelle des ihr verbotenen Bereiches. Die Einheit des Paares erfüllt sich hier also in der Unterdrückung einer der beiden Komponenten: Im Falle von Sibilla und Cena sollte das Verbot eines sich am Persönlichen orientierenden Wissens durch Liebe wiedergutgemacht werden.

Doch in den Tagebuchnotizen, die sie für sich selbst aufzeichnet, läßt Sibilla all die Symbole der Differenz und der hellsichtigen und leidenschaftlichen Suche nach dem eigenen, begrabenen Ich sich frei entfalten. In diesem ganz im Zeichen der Privatheit geborenen Gedanken arbeitet sie bewußt auf eine sexualisierte Sprache hin und eignet sich Instrumente an, die sich später als subversiv erweisen werden. Diese Texte sind für Cena, der Sibilla zu jener Zeit zu einer Aneignung der Literatur in einem männlichen Sinne hin lenkt, nicht erreichbar.

Die damalige feministische Bewegung, die sich in Italien später als in anderen Ländern entwickelt hatte, ging um 1910 durch eine entscheidende Krise. Man konnte sehen, wie sich das aktiv fordernde Engagement – das damals, im goldenen Zeitalter der Suffragetten, die großen Kämpfe um das Wahlrecht, den Schutz der Frauenarbeit, den gleichen Lohn, juristische Gleichstellung und die internationale Abrüstung ins Leben gerufen hatte – in eine

Reihe philantropischer Initiativen auflöste.* Die offizielle Anerkennung durch die Institutionen verschleierte die Neutralisierung der radikalsten Forderungen. Der Frauenkongreß, der im April 1908 in Rom abgehalten wurde, legt von der sich verengenden Perspektive historisches Zeugnis ab.

Im hitzigen Klima des Kongresses lernte Sibilla Lina Poletti kennen, eine Studentin und leidenschaftliche Liebhaberin von Literatur und Philosophie aus Ravenna. Lina beteiligte sich in Rom aktiv an der Arbeit zur Unterstützung der Armenschulen: Sie sammelte Gelder, beteiligte sich an abenteuerlichen Expeditionen durch malariaverseuchte Gebiete und hielt überall in Italien Konferenzen ab, auf denen sie das Erreichte veröffentlichte.

Die Korrespondenz zwischen Lina und Sibilla, die im Frühjahr 1908 begann und sich genau über das Jahr ihrer Beziehung hinzog, war bislang völlig unbeachtet. Aus den Briefen Sibillas – einigen hundert – stellen wir hier eine Auswahl vor, und auch die wenigen Briefe von Lina, die, nach der wechselseitigen Rückgabe der Briefe, bei Sibilla geblieben sind, werden hier veröffentlicht.

Lina wurde als vorletzte von vier Schwestern am 27. August 1885 in Ravenna geboren und auf den Namen Cordula getauft, dessen Verkleinerungsform – Lina – ihr besser gefiel. Die Polettis waren eine der angesehenen Familien der guten Gesellschaft Ravennas: sie wohnten in der Via Rattazzi,

* Die Schriften Sibillas aus der Zeit von 1897-1910 sind von Bruna Conti in Sibilla Aleramo, La donna e il femminismo, Rom 1978 zusammengestellt worden.

nahe der Piazza del Popolo: dort und an dem anderen Anziehungspol der städtischen Intelligenz, der Bibliothek von Classe, begann Lina ziemlich früh, öffentliche Aufmerksamkeit auf sich zu ziehen. In ihrer universitären Abschlußarbeit über Literaturkritik, die sie noch sehr jung verfaßte, zeigen sich eine ausgeprägte Intelligenz und Persönlichkeit. Vom Anfang ihrer Freundschaft an fühlte sich Sibilla von der ursprünglichen Unabhängigkeit von Linas Charakter und von ihrer explosiven Kreativität angezogen. Neun Jahre jünger, gehörte Lina fast schon zu der Frauengeneration, zu deren "Formung" Sibilla mit ihrem Buch beigetragen hatte. Sibilla ihrerseits hatte eine Reihe grenzüberschreitender Erfahrungen hinter sich. Trotzdem nahm sie das erste Zeichen ihrer neuen Empfindung mit Überraschung und Furcht wahr. Sie traf Lina in Florenz wieder, wo sie bei Luchaire zu Gast war, dem Leiter des französischen Kulturinstituts und wichtigstem Vermittler der Beziehungen zwischen Italien und Frankreich, der zur Erneuerung der italienischen Literatur beigetragen hat. Und erst dort erwiderte Sibilla ihre Liebe rückhaltlos.

Die zunehmende Auflösung der eheähnlichen Bindung an Giovanni Cena führte zum Nachlassen der affektiven Beziehung. Die Entscheidung Sibillas, die unbekannte Erfahrung der Liebe zu einer Frau voll und ganz auszuleben, stellte in Cenas Augen den Zusammenbruch des Bildes der wiedererstandenen Eva dar, das sich in einer kontinuierlichen, mythologischen, von ideologischem Bewußtsein gestützten Re-Konstruktion allmählich geformt hatte.

"Ich muß an sie denken. Du bist stark. Sie ist so jung." Das hat sie mir gesagt. (. . .) "Was gebe ich ihr? Nichts. Nichts Reines mehr. Du müßtest sie bewundern. Wenn du leidest, bist du unterlegen" (. . .) Ich muß Möglichkeiten in der Frau sehen, die Möglichkeit zur Gleichwertigkeit *mit dem Mann, zur* Treue *zu Ideen, die Möglichkeit der Einheit und der Ergänzung der Geschlechter. Wenn das Leben nur Geschlechterkampf sein kann, Behauptung des einen über den anderen, Flucht und Verfolgung, Auswechslung und Verkehrung der Tyrannei, auch wenn die dann von der Frau ausgeübt würde – dann lohnt es sich nicht, Mann zu sein. Die wenigen Kavaliere, die sich in den Dienst des Feminismus gestellt haben, sind mir nicht mehr im Kopf."*

Doch wie soll sich dieses Stereotyp von der Komplementarität der Liebe verwirklichen, wenn die traditionellen Pole aktiv/männlich und passiv/weiblich in der Gesellschaft nicht überwunden werden?

"Die Jungen hätten in zehn Jahren ein einzigartiges *Schauspiel gehabt, das ich, das wir gewollt hatten: ein Mann und eine Frau, die eine Einheit und ein Werk gestaltet haben, indem die Arbeiten der einen das* weibliche Gesicht *des Mannes, der Natur, der Ideen sind, und die anderen das männliche. (. . .) Das Leben ist nur in einer einzigen Konzeption zugleich auch Kunst (Kunst nicht unabhängig vom Leben).*"*

* Es handelt sich um nichtdatierte Tagebuchnotizen von Cena. Die Briefe und Tagebücher sind noch unveröffentlicht und werden im Archiv Aleramo im Istituto Gramsci in Rom aufbewahrt. Das dortige

Er sucht die Vervollständigung seines eigenen Wesens, sie eine neue Welt der Liebe. Die Harmonie ist sicher unerreichbar, doch der Kampf um ihre Eroberung läßt literarische Kreativität entstehen.

Sibilla hatte an die Möglichkeit einer Beziehung zu dritt geglaubt, in der nicht zwangsläufig auf eine Bindung verzichtet werden muß, um die andere zu erhalten, so wie es die traditionelle Kasuistik der Liebe vorschreibt (die Drei zählte nur beim Ehebruch). Auch wenn sie auf dem Terrain des Privaten entstanden ist, bleibt eine Utopie doch Utopie, und als eine solche betrachtete sie auch Cena, der dabei deren zukunftsweisenden Rang verkannte, denn schließlich ist daraus heute eine der meist debattierten und fast schon modischen Problematiken geworden. Das Experiment von Vita Sackville-West und ihrem Gatten Harold Nicolson führt zu der Überlegung, daß eine Ehe mit den Jahren nur noch als Nicht-Ehe überleben könnte. Es ist ja bekannt, daß die Liebe der beiden von Vitas Leidenschaft für Frauen nicht getrübt wurde, sondern sich durch den Konsens beider über ihre gegenseitigen "Treuebrüche" sogar festigte.

Sibilla scheiterte auch bei dem Versuch, in der alles ergreifenden Beziehung zu einer Frau ihre eigene Autonomie zu wahren. Sie lehnt den Vorschlag Linas zu einer gemeinsamen Flucht ab, die endgültig ihre Ablösung von der Welt und den Verrat an

Material umfaßt die Korrespondenz der Schriftstellerin von 1887 bis 1960 und die Tagebücher, Notizen, Skizzen und autobiographischen Dokumente von besonderem Interesse, die fast alle unveröffentlicht sind. Sibilla hatte alles testamentarisch ihren Freunden Palmiro Togliatti und Ranuccio Bianchi Bandinelli hinterlassen.

der eigenen moralischen Freiheit (Freiheit auch von einer Frau) bedeutet hätte. Der Selbstmord übte eine fast unvermeidliche Anziehungskraft auf Sibilla aus, doch darüberhinaus mußte sie, ohne dabei den Abenteuern von irgendjemandem zu folgen, in sich selbst einen Sinn finden, der ihrem Leben eine neue Richtung wies. Angesichts der Alternative zwischen einem unerträglich gewordenen Zusammenleben und einer grnezüberschreitenden Liebe, die ständig von der Unzulänglichkeit und Unbeständigkeit Linas bedroht wurde, wählte Sibilla erneut die Einsamkeit.

Das Ende der Beziehung fiel konsequenterweise mit einem Ereignis zusammen, das im August 1910 in Ravenna großes Aufsehen erregte: Die Heirat von Lina Poletti und Santi Muratori. Muratori, ein brillanter Gelehrter und erlesener Kenner antiker Kunst, lenkte zwanzig Jahre lang – 1944 starb er während eines Bombenangriffs – die Geschicke der Bibliothek von Classe und hinterließ dort seine unauslöschlichen Spuren. So mußte sich nicht nur Sibilla mit einem männlichen Gegenüber auseinandersetzen. Auch in diesem Fall hatte sich die Freundschaft zwischen den beiden Studenten Lina und Santi durch gemeinsame Interessen gefestigt, und die Grundlage dieser ungewöhnlichen Ehe war, bedenkt man die sexuelle "Ambiguität" beider, intellektuelle Anziehungskraft. Als ihre jeweilige Unverträglichkeit "entdeckt" war, gingen sie in unterschiedliche Richtungen auseinander, wie freundliche Geschwister, voll Respekt voreinander.

In den Briefen, die Lina an den "Gatten" schrieb,

beklagte sie sich noch lange Jahre über die bürokratischen Scherereien, die ihr die "eheherrlichen Berechtigungen" bereiteten:

*"Nichts anderes, lieber Santi, wäre eine sinnvolle Sache, die jeder vernunftbegabten Frau Lust machte, Mann und Kinder und was noch alles sitzenzulassen, nichts anderes, als im Angesicht Gottes ihre Rechte als Mensch einzuklagen, mit hoch zum Himmel erhobenen Kopf, aufrechten Leibes, auf zwei Beinen, meinetwegen auch auf die Gefahr hin, Tag um Tag, so wie ich, für die eigene, verzweifelte, heilige Rebellion zu zahlen."**

1911 wurde Lina die Geliebte von Eleonora Duse, die nach ihren Erfolgen, der unglücklichen Affäre mit D'Annunzio und ihrer überwältigenden Begegnung mit Isadora Duncan, auf der Flucht vor ihrer Krankheit durch Europa zog, melancholisch, doch stets voller Glut. Als sie sich einige Tage in Ravenna aufhielt, wurde sie sofort im Theater erkannt, obwohl sie sich im Hintergrund einer Loge aufhielt: die Menge klatschte ihr stürmisch Beifall. Aufgrund dieses Vorfalls nahm sie die Arbeit wieder auf und stellte eine neue Truppe zusammen.

Rainer Maria Rilke, Begleiter der Duse bei den langen Spaziergängen auf dem Lido von Venedig, berichtet, wie die "Göttliche" von dort für einige Zeit in eine Unterkunft auf den Zattere+ umzog. Eleonora Duse war in Begleitung von Lina, die für

* Brief von Lina Poletti an Santi Muratori vom 9. Juni 1930, Fondo Muratori, Biblioteca Classense

+ Ein breiter, schöner Quai im eigentlichen Venedig (A.d.Ü.)

sie ein Drama – Ariadne – verfaßte, das die Rückkehr der Duse auf die Bühne hätte begleiten sollen, aber nie aufgeführt wurde.* Auch in der Villa Bartolini in Arcetri und in der Via dei Colli in Rom war Lina noch mit ihr zusammen.

Viel später, ab 1931, war Rom Linas ständiger Wohnsitz. Dort lebte sie mit einer Freundin aus Ravenna zusammen, mit Eugenia Rasponi, die trotz ihrer aristokratischen Herkunft eine radikale Feministin war. Es war die längste und stabilste Beziehung in Linas Leben. (Eugenia Rasponi hatte übrigens auf jenem Nationalen Frauenkongreß 1908 in Rom den Vorsitz geführt.)

Während der Jahre mit Eugenia unternahm Lina mehrere Studienreisen in den Orient und nach Griechenland, nach London und Paris. Dabei vertiefte sich ihre besondere Sicht der "Wahrheit". Sie schrieb darüber an Muratori:

"Mein Freund, stets habe ich das große Glück gehabt, die enorme Bedeutung vorherzuahnen, die das Leben in bezug auf das hat, was wirklich der Zweck des Menschen ist; daß ich mich nie durch die hundert Hirngespinste habe hindern lassen, denen der Mensch gern tönende Namen gibt, um vor sich selbst die Verstrickungen zu rechtfertigen, die ihn von seinem Zwecke entfremden und trennen (...): vom Sein *also statt vom* Schein."+

* Das wird bezeugt von Olga Resnevic Signorelli in: La Duse, Mailand 1938, S. 243

+ Brief von Lina Poletti an Santi Muratori, vom 3. Oktober 1930, Fondo Muratori, Biblioteca Classense

In Linas Fall handelte es sich um eine aggressive und vielversprechende Genialität, die sich im naiven Irrtum des Amazonentums erschöpfte. Später, im reifen Alter, näherte sich Lina schließlich einem literarischen Stil, der mit gewagten Neologismen und starken rhetorischen Wendungen gespickt ist, vermischt mit D'Annunzio und Marinetti*, wie beispielsweise das später vertonte Drama "Le Fediradi". Bei kritischen Lesungen der "Göttlichen Komödie", die jedes Jahr am Grabe Dantes in Ravenna abgehalten wurden, bewies Lina ein hohes Maß an Kultur, deren sensible Deuterin sie war. Der vermutlich umfangreiche Rest ihrer Produktion ist unveröffentlicht, und ihre unzähligen philosophischen und sogar metaphysischen Untersuchungen bleiben für uns im Dunkeln.

Sibilla und Lina haben sich nur wenige Male getroffen: der Ruhm hat die eine – vielleicht verdientermaßen – zweifellos freigiebiger beschenkt als die andere, deren Spuren sich im geschichtslosen Unbekannten verlieren.

Alessandra Cenni, Genua 1982

* Marinetti ist der Vorreiter des italienischen Futurismus, während D'Annunzio ein ausgesprochener Fin de siecle-Dichter ist. (A.d.Ü.)

LIEBESBRIEFE AN LINA

Bei den kursiv gesetzten Texten handelt es sich nicht um Briefe, sondern um Auszüge aus Tagebüchern oder Entwürfe zu einer autobiographischen Erzählung.

Am Abend, nach einer Sitzung des Komitees für das Frauenwahlrecht, begleitet mich das junge Mädchen durch die schmalen, dunklen Gassen zu Seiten des Corso bis nach Hause.

"Erzähl mir von dir, sprich."

"Ich weiß nicht, ich kann nicht reden."

"Dieses Schweigen von dir bringt mich noch zur Verzweiflung!"

Und nach einer Weile beginnt sie zu sprechen, mit ihrer kräftigen, vor Leidenschaft ein wenig rauhen Stimme.

"Gestern nacht habe ich nicht geschlafen ... Nein, auch nicht gearbeitet ... Aber nachgedacht ... Wie ich dich da gesehen habe gestern abend, deine gebieterische Gestalt, allein, vom Hintergrund deutlich abgehoben ... Ich hatte dich nicht mehr erwartet, als du erschienen bist ... Weißt du, welchen Platz du in meinem Leben erobert hast? Es ist merkwürdig ... Niemals, nie ... Ich habe das Gefühl, daß du eine tiefe Spur in mir hinterlassen wirst ..."

Ein Schauder durchläuft mich, eine unbestimmte Angst schnürt mir die Kehle zu. Das Mädchen

spricht weiter, und das Laufen an meiner Seite fällt ihr schwer, weil sie ihren Schritt dem meinen, kürzeren, anpassen will. Ich sehe nicht: sieht sie mich an?
"Ich denke schon mit Schrecken daran, wenn ich dich verliere ... Ach, dein Lächeln, deine Rätselhaftigkeit ... Neulich abends bei R. haben wir über dich gesprochen, sie sagten, daß du unwiderstehlich bist ... Du lachst? Mir kam das beleidigend vor, ich habe geschmollt und den ganzen Abend nicht mehr gesprochen ... Dann habe ich überlegt, daß das vielleicht doch ein passendes Wort war, zieht man die Ausdrucksschwierigkeiten bestimmter Leute in Betracht ... Ja, man widersteht dir nicht ... Ich denke immer an das erste Mal, als ich dich gesehen habe ... Das war an einem Morgen im juristischen Ausschuß des Kongresses. Du bist in den Saal getreten, mit einem unbestimmten Blick, hast mir zugelächelt, ohne mich zu kennen und vielleicht ohne mich wahrzunehmen, und ich empfand ... ich kann dir nicht sagen ... etwas Tiefes, mein ganzes Wesen wurde getroffen ... Dann, später, hast du mit mir gesprochen ... Erinnerst du dich? Und dann bist du abgereist und ich schrieb dir. Ich hielt dich für die bedeutendste Frau Italiens. Erinnerst du dich?"*

"Ja, ich habe das gespürt, und ich spüre, daß du mich gerne hast."

* Diese Anspielung bezieht sich auf den in der Einleitung erwähnten Nationalen Frauenkongreß, der vom 23. bis zum 30. April 1908 in Rom abgehalten wurde.

"Oh, aber sehr, sehr gern ..."

Jetzt liegt neben der Leidenschaft, die ihr die Kehle zu zerreißen scheint, auch Beklemmung in der Stimme.

"Ich möchte viel mit dir reden. Ich wünschte, daß du mich deine Seele atmen ließest, ja ... Aber ich zittere, habe Angst ... Kann ich offen sein? Es scheint mir, als hätte ich in deinen Augen gesehen, daß dir dieses Gefühl von mir nicht gefällt ... Nein, oder? Ich bin jung, weißt du, und was ich empfinde, ist natürlich sehr stürmisch ... Aber du bist nicht beleidigt, oder? Erlaubst du mir, so zu sein?" (...)

Florenz, 10. April 1909

Lina, Lina, was geht in mir vor? Ich hoffte, daß diese Tage in der Ferne wenigstens dazu gut wären, mir ein klareres Gefühl über die neue Phase meines Lebens zu verschaffen ... Aber nein. Ich tauche immer mehr in eine unwirkliche Stimmung ein, die mir unsagbares Leid und unsagbaren Genuß verschafft ... Alle Wörter sind abgenutzt. Nur ein einziges antwortet der Realität, und doch befriedigt es micht nicht: *Ich denke an dich!* Immer, immer, immer, begreifst du? Und das ist entsetzlich für mich.

Dieser hellsichtige Wahn hat meiner Erfahrung gefehlt: diese Freude ohne Grund und ohne Zweck, dieser Schmerz, der, ich weiß nicht wie, geboren und auch irgendwie wieder sterben wird. Was es an Grausamem in mir gibt, ist wieder einmal zufriedengestellt: und wieder kann ich das Leben auf mich nehmen, nicht das Leben aller um mich herum, sondern das heftige, stürmische, strahlende, das sich darin gefallen hat, mir zur Freude der anderen, doch zu meiner Qual, ein heiteres Gesicht zu überlassen: wieder bin ich stärker als die Welle, die mich zum Himmel emporhebt.

Vielleicht existierst du gar nicht: vielleicht bist du ganz anders als das, in was ich mich in meinem stillen Überschwang versenke, Stunde um Stunde, Minute um Minute. Dennoch, sei gesegnet! Liebste, du wirst mir teuer bleiben, auch wenn all das verflogen sein wird.

Gestern habe ich lange Zeit vor der *Aurora* in der Kapelle der Medici verbracht. Kommt dieses erwachende Geschöpf nicht unserer Seele gleich? Auch wir wissen nicht, ob der höchste Schmerz im Traum oder im Leben sein wird. Wenn er nur von göttlichen Linien umschlossen ist!

9. Mai 1909

Nur eine Nacht, und daß nie Morgen wäre
uns niemand andres als die Sterne sähe

Ich möchte dir hier, im Angesicht der deinen, meine bloße Seele zeigen, ringsherum Schweigen, als ob kein Morgen kommen sollte. Lina, erinnerst du dich daran, was ich dir beim ersten Mal geschrieben habe, nach jener ersten Stunde der Leidenschaft auf dem Gianicolo* ? Erinnerst du, daß ich dich um

* Einer der Hügel Roms, mit einem wunderschönen Ausblick über die Stadt (Anmerkung der Übersetzerin)

das unaussprechliche Geheimnis beneidete, das du mit so viel Kühnheit angenommen hattest? Ich beneidete dich, und schon wurde ich von dem selben heiligen Wind bestürmt. Lina, Lina, noch weiß ich nicht recht, was in dir war, damals, aber ich weiß, daß es für mich entsetzlich war, meine neuen Empfindungen offenzulegen, etwas Schwindelerregendes, das mich lange außer Atem gehalten hat . . . Lina, nie in meinem Leben hatte ich an die Möglichkeit gedacht, eine Frau zu lieben, niemals, begreifst du? Ich glaubte, wenn nicht an die Liebe des menschlichen Paares, so doch an das gegenseitige Sich-Ergänzen der beiden Zweige der Menschheit . . . Als ich einst von einer traurigen Leidenschaft Michelangelos für einen jungen Mann gelesen hatte, schauderte mir wie vor einer unbegreiflichen Narrheit. Aber niemals habe ich das Verlangen gehabt, diesen dunklen Schauder zu ergründen. Und niemals hatte mich die Seele einer Frau mit ihrem Geheimnis angezogen, wie ich auch nie eine weibliche Gestalt sehnsuchtsvoll betrachtet habe.

Du kannst dir also vorstellen, du, die ein merkwürdiges Geschick dagegen seit frühester Jugend zu diesem Geheimnis getrieben hat, du kannst dir vorstellen, wie verwirrt ich war, als ich entdeckte, daß ich in dich verliebt war?

Ja, verliebt, es gab kein anderes Wort dafür. In dein Feuer, deine Stimme, deine Anmut, und dann in deinen Schatten, Lina, in alles, was sich mir von dir allmählich, im Zauber deiner Worte, in vagen, und flüchtigen Umrissen abzeichnete; und außerdem verliebt in deine geistige Existenz, die sich mir im unverwandten Glanz deines Blicks behauptete.

Wie hätte ich noch leugnen, mich täuschen können?

Lina, es war ein unermeßliches Unglück. Aber, tröste dich, auch eine unermeßliche Freude, und diese vielleicht größer als jenes. Ich weiß es nicht, und es ist nicht wichtig.

Von Bedeutung ist nur, daß ich dich geliebt habe und daß ich dich liebe.

Deine Seele! Habe ich sie so an der meinen schwingen fühlen wie keine andere zuvor, weil sie einer Frau gehört, einer Schwester! Mit welcher Trunkenheit habe ich ihre Seufzer empfangen! Und breit und mächtig hat sich die meine bei ihrem Hauch geweitet!

Und deine Jugend, vor der ich mich sowohl Mutter als auch Kind fühlte! Doch warum spreche ich in der Vergangenheit zu dir? All das *ist* gegenwärtig!

Lina, Lina, du Geschöpf, das ich mein nennen möchte, und du bist es nicht, du mußt wissen, daß ich glücklich bin, dich zu lieben, daß ich solange gelebt habe, um dich zu treffen, und daß ich dieses Glück um nichts in der Welt je vergessen werde!

Dich habe ich geküßt: eine Weihe, das erste Mal, erinnerst du dich? Dann der gebieterische Wille unseres Wesens. Vergebliche Gier, das Unendliche der Leidenschaft auszuloten. Agonie. Und dein ganzes Leben ist mir zur Notwendigkeit geworden.

Und da liegt das Unglück! Du selbst hast es heute gesagt: Das *Nichts* erwartet uns.

Nicht das ewige Nichts, in das jenes unbekannte Mädchen eingegangen ist, deren Bahre wir in Palestrina* gegrüßt haben, sondern das alltägliche Nichts, das Nichts für den Rest des Lebens, das wir noch werden leben müssen, später, in einigen Monaten ... Du auf deinem neuen Weg, der groß und schön sein wird: ich auf meinem alten, viel verwirrter als früher. Und dieses Nichts kann ich nicht fassen, verstehst du!

Die Liebe ist in meiner Seele stets ein Synonym für Leben gewesen. Wenn ich noch etwas schreiben werde, dann, um die Erinnerung an die Liebe festzuhalten, die mich strahlen ließ, als ich meinen Gefährten kennenlernte: Leben, ja, fruchtbares und immerwährendes Leben, jenseits jeder Qual, Leben zu zweit, für immer.

Und das ist unsere Liebe nicht, Lina. Am Grunde der unseren liegt die Verdammnis ihrer Unfruchtbarkeit.

Ich liebe dich (...) für das, was du in dir selbst bist, und für das, was du für mich nicht sein kannst (...). Und ich kann nicht darauf verzichten, von deinem Leben zu nehmen, was mir dennoch gewährt wird, dieses frühlingshafte Sehnen, einen Herzschlag deiner Jugend, den Sommertraum in deinem Land, Leiden und Genuß, beides an der Grenze zum Todesverlangen. Ich kann nicht und will nicht.

16. Mai (1909)

Lina, mein Wesen, die ganze Nacht habe ich die vollkommene Stunde von gestern abend durchlebt,

* Ort bei Venedig (A.d.Ü.)

die Seele umströmt vom gleichen schmerzlichen Sternenlicht. So sollte es immer sein. Und gepriesen die Natur, die uns ins Antlitz geschaut und gerettet hat. Doch jetzt muß ich wissen, wie es dir geht, meine Geliebte, ich brauche heute, unter der Sonne, einen Hauch deiner Zärtlichkeit. Mir scheint, daß wir einen unendlichen Weg zurückgelegt haben, gestern abend: willst du nicht, daß ich mich an deinen Arm lehne, möchtest du nicht dein Haupt zu meinem Herzen neigen, einen Augenblick lang? (. . .). Es ist mir undenkbar, dich unter Leuten wiederzusehen. Morgen abend um sieben Uhr könnte ich dich in der Villa Borghese* erwarten.

Englischer Friedhof, 25. Mai 1909

Ich schließe die Augen: Die Woge der Harmonie, die durch die Zypressen hoch über meinem Kopf, durch alles um mich herum flutet, hüllt mich ein, im Rauschen der glänzenden Luft unzählige Vogelstimmen, das Wispern von Laub, ungewisse Düfte . . . Und ich versinke einen Augenblick in die Betrachtung meiner Seele, einfach so, blicklos, als gehörte ich einer fremden, längst ausgestorbenen Art an, deren Geschehnisse mich nicht berühren . . .

Dann hebe ich wieder die Lider und sehe ein großes Blitzen, in dessen Licht alles schwebend und unwirklich erscheint, und ihr Gesicht, angehaucht von einer unbekannten Farbe, ihre Augen verloren

* Sibilla und Cena bewohnten eine kleine Wohnung in der Via Flaminia, ganz in der Nähe der Gärten der Villa Borghese, einem der großen römischen Parks.

in den meinen . . . Einen Busch nur sehe ich dort oben auf der Anhöhe, er bebt im Wind unter dem klaren Himmel: er bebt, genießt, lebt. An jenem Morgen im Juli lebte so der ganze Wald, von den riesigen, hohen Baumkronen bis zum Boden, ein feines Gewirr von Gräsern und Dornen. (. . .) Ein ebenso starker Duft verbreitete sich von den blühenden Trieben aus durch die Luft, und du hieltest mich in den Armen. (. . .) Ein Schauer durchlebter Freude, meine Glieder werden dich stets wieder suchen . . .

27. Mai 1909

Weißt du, daß ich nicht mehr geweint habe? . . . Ich gehe jetzt aus, um einen Busch Ginster zu pflücken, in der kleinen Straße, die den Frühling unserer Liebe gesehen hat. Und ich werde noch einmal in dein kleines Zimmer hinaufsteigen, um den Strauß dort hineinzustellen, damit du an deinem letzten Tag etwas bei dir hast, das ein Stück von meiner Seele und von Rom zum Ausdruck bringt.

Santa Marinella, 2. Juni 1909

Wie weit und ruhig das Meer heute nacht atmet! Der Schimmer des Mondes zittert darauf. Verlassen liegt der Strand unter den Sternen. Liebe, oh meine Liebe, mein erster Tag der Sammlung endet mit einem vergeblichen und leidenschaftlichen Ruf nach dir. Hörst du ihn? Kannst du dir, über so viel Raum hinweg am selben Abend, vorstellen, daß ich auf dieser im Schweigen schwebenden Terrasse die Arme für dich ausbreite, daß du dasselbe schwärmende Verlangen erlebst? Ach, dich jetzt hierzuhaben! Allein auf der Welt, in der langen, glänzenden Nacht! Und deine Stimme, die mit dem Murmeln der Wellen schwingt, meine Hand in deinen Haaren, und all die Sterne, die doch weniger leuchten als dein Blick! Lina, weißt du, daß auch ich dich mit unermeßlicher Kraft lieben würde? Für diese Nacht wäre ich ein Wesen, dem, kaum dem Meer entstiegen, sich das Leben zum ersten Mal darböte; das, wenn es dich an die Brust zöge, glauben würde, bei deiner Umarmung das ganze Universum, alle Lust, alle Schönheit und alles Licht zu umfassen!

Dann liefe ich mit nackten Füßen an den Strand, und vielleicht entdeckte ich ein wohlklingendes Geheimnis, vielleicht auch bräche mein Herz beim allzu mächtigen Atmen, und du, Geliebte, würdest dann die laue Wärme auf meinen Lippen mit deinen letzten Küssen ein wenig verlängern. (. . .) Könntest nicht du mir den Scheiterhaufen bereiten? Und das ganze Leben lang hättest du ein göttliches Bild von mir.

ohne Datum

Tage voller Wind, so wie heute, unter einem trüben Himmel; dein Meer, dem ich regungslos lausche, wenn ich auf der Düne den Sand betrachte, der zwischen den azurblauen Disteln umherwirbelt.

ohne Datum

Wir sind im Dämmerlicht, im geschlossenen Zimmer. Ich liege ausgestreckt auf dem kleinen Bett, meine Haare breiten sich über das Kopfkissen, die Augen sind halbgeschlossen. Du sprichst zu mir, dein Gesicht neigt sich über das meine, ein Antlitz in flammendem Rosa, und deine Hände berühren leicht die Harfe meiner Haarkrone. Schönes und Zärtliches sagst du mir, mit einer Stimme, die leise in das Beben meines Körpers einstimmt. Die Worte streichen über meine Stirn wie Frühlingswind. Der ganze Duft und der ganze Schmerz des Frühlings umhüllen mich, hingestreckt und unbeweglich in dem dunklen, kleinen Zimmer, nur das Funkeln deiner Augen vor meinen halbgeschlossenen. Die Kronen blühender Bäume auf großen, nicht endenden Wiesen, laue Luft, ein schüchterner Hauch von Melodien zwischen den Zweigen, das Gurgeln versteckter Wasser, und wieder weiße und rosa Blütenblätter, der azurblaue Himmel weiß gefurcht, und plötzlich, ein goldener Stern dort vom Himmel. In diesem Moment werde ich geboren und nur für diesen Moment: hörst du meine Seele still weinen, vor Freude weinen?

ohne Datum

Ich liebe dich. Du bist durch mein Dasein gegangen wie ein sehr verwirrendes Geheimnis, wie die strahlendste Wahrheit vielleicht, die über die armseligen Mythen meiner Seele hinausgeht. Du bist schön.

Ich kann dir nichts geben, denn alles, was in mir ist, finde ich in hundertfacher Stärke in dir. Dem Mann, den ich geliebt habe, gab ich mein Lächeln. Dir, Frau, gebe ich meine Tränen. Könntest du doch das Leben auch durch sie lieben, als wären es Sterne . . .

9. Juni 1909

Das Leben ohne deine Liebe! Lina, Lina, du wahnsinniges Geschöpf, weißt du denn, was das für mich heißt? Weißt du denn, was du für mich geworden bist? Und auch, wenn du es nicht weißt, glaube mir, daß diese Liebe uns vernichten kann . . . Wir sind noch immer dieselben, die wir waren, als sie uns ergriff: Du jedenfalls, deren schöne Wirklichkeit ich sofort gesehen habe. Warum sollte ich dir falsch erschienen sein? (. . .) Und nun, warum kannst du mich nicht mehr lieben? Noch habe ich dir alles zu geben, meine ganze Zärtlichkeit, all meine Kraft, die ich noch tief in mir erwecken kann, wenn das Leben mir nicht entflieht, und manches noch nicht gesagte klare Wort. Und da ist auch die Welt, um sie zu betrachten, die schöne Welt, die unser sein kann. Wir, die wir uns in sie versenken, sind so wenige. Und das Leben, das Leben selbst ist gut. Lina, das weißt du, dein Herz ist voller Kühnheit, du weißt, daß es ein unendliches Werk der Schönheit fortzuführen gilt, das nur in der Liebe Sinn hat! (. . .) Ich habe deine Quälereien, deine Beleidigung, alles habe ich *hinnehmen* müssen, Lina, mein Wesen, du, die ich so sehr geliebt habe, du, die du mir so viel trostreiches Licht für diese letzte Zeit meiner Jugend versprochen hattest! Und ich habe so sehr an deine Liebe geglaubt, ich war ihrer so glücklich, hatte dem Schicksal so sehr gedankt! Und wie sehr wollte ich deine Freude, dein Strahlen! Ich habe dich angebetet, angebetet, und du hast es nicht gespürt! (...) Heute bei Sonnenuntergang habe ich einen Moment lang gehofft, dich plötzlich hier zu sehen: und ich habe dich gesehen: ich fühlte mich an deine Brust sinken, habe dem Pochen unser beider Herzen und dem Keuchen unseres Atems gelauscht, in dem großen, glücklichen Schweigen, das sich um uns gebreitet hatte. (...)

11. Juni 1909

Ich werde dir nicht sagen, was sich zwischen mir und Cena allmählich abzuzeichnen beginnt. Später. Ich weiß nicht, meine Freundin, ob ich noch in deine Stadt, in dein Haus werde kommen können. Ich fürchte, daß mir die Kraft dazu nicht mehr reicht. An deiner Seite könnte ich nicht anders, als deinen Blick zu suchen, um mich noch einmal von jener göttlichen Ekstase durchflutet zu fühlen, die nur du mich hast kennenlernen lassen, und die an jenem Morgen, zwischen den Gräbern, vor denen ich dich verzweifelt schluchzen hörte, ihren Höhepunkt erreicht hatte. Und wenn ich bei dir wäre, und du würdest dich verweigern, Lina, könnte es sein, daß sich endlich auch in mir die ganze Leidenschaft, die mich in diesen Tagen verzehrt hat, zu unbekannter Heftigkeit entzündete! Ich liebe dich! Und ich will, daß du mir gehörst, ich will dich besiegt, begreifst du, ich will deinen zurückgeworfenen Kopf in meinen Händen halten (...) und dich dann küssen, und erst dann vergessen, und danach zurückkehren und dem Leben gemeinsam mit einem Siegerlächeln entgegenblicken, beide wieder jung und schön, allen zum Stolz.

Ich werde jetzt ein paar Schritte spazierengehen, mit dir, am Ufer des Meeres, dem ich nur von dir gesprochen habe, Tag und Nacht von dir.

8. August 1909

Was ich vorhergesehen habe, ist eingetreten. Noch niemals habe ich meinen Gefährten so leiden sehen. Und jetzt verrinnen die Stunden, schwer vom Wahn, zeitlos, in einem Schweigen wie in Agonie ... Er hat nur gesagt, daß er *nicht mehr kann,* und daß wir uns trennen müßten, falls ich mich nicht ändere ... Und er weint.

Das zu unseren Beziehungen. Außerdem ist er hin- und hergerissen von dem Gedanken, daß meine einzigartige Liebe zu ihm zu Ende ist, daß ich dich mindestens so sehr liebe wie ihn.

Da er aber sieht, wie ich leide, und weil er mich gerne hat, versucht er, sein Unglück mit mehr Heroismus zu ertragen als früher. Auch das Empfinden dir gegenüber wandelt sich allmählich, fast unbewußt. Doch beide sprechen wir zu wenig miteinander, bedrückt wie wir sind, den Hals zugeschnürt von unaussprechlichen Qualen ...

9. August 1909

Wie schön du bist, und wie ich dich anbete! . . . Lina, du hast einige hassenswerte Seiten des Lebens gesehen, schmutzige und feige Seiten der menschlichen Seele: aber du kennst das beklagenswerte Schauspiel des Geistes nicht, der sich in seinem blutigen Kerker windet und sich nicht befreien kann. Lina, mein Wesen, kein Sterbender hätte sich mehr martern können als (. . .) mein armer Gefährte, dieser Mann von Bedeutung und Größe, dem es nicht gelingt, die Flamme des Begehrens, mich zu besitzen, in seinem Fleisch zu unterdrücken, verstehst du, er kann nicht, und der sich, über meine Verweigerung verzweifelt, zerstört und nur noch Wahnsinn oder Tod vor sich sieht. Und das Schreckliche ist, Lina, daß ich, bei diesem tragischen Anblick dennoch und mächtiger denn je gefühlt habe, wie sehr die ideale Wahrheit die unsere, *die deine,* ist, Lina. Und vielleicht, vielleicht ist auch ihm, in einem Moment des Aufruhrs, dieser Gedanke aufgeblitzt . . . Doch wozu? Arme Seele, wozu? Wir haben Hunger und Durst, wir spüren die Kälte und brauchen den Schlaf, und der Mann wird doch stets angesichts der geliebten Frau den Trieb seines Blutes spüren . . . Die Liebe ist bereits ein Sieg der Menschheit über das Animalische. Doch scheint, daß es, im Augenblick jedenfalls, nicht möglich ist, darüber hinaus zu gehen . . .

Er läßt nichts zu. Entweder leben wir wie Freunde (. . .), nur für unsere gemeinsame Arbeit, oder wir leben weiter wie zuvor, zwar mit ein wenig mehr Rücksichtsnahme, aber doch voll und ganz, sagt er. Auch daß wir uns trennen, ist eine Lösung, und er hält sie für die wahrscheinlichste, da ich ja unbeugsam bleibe.

10. August 1909

Gestern abend, nachdem ich jene Briefe der Verzweiflung eingeworfen hatte, machte ich mich allein auf den Weg, den Tiber entlang, dem in der eben verschwundenen Sonne violett leuchtenden Monte Mario entgegen. Ich dachte wieder an die vielen Male, die ich mit dir dorthin gegangen war. Und ein Duft umfing mich, das starke Gefühl, doch ein wenig Recht dazu zu haben, den Himmel, das Wasser und die Bäume klaren Auges und mit einer Seele zu betrachten, die trotz allem voller Heiterkeit war. Die jüngsten Erinnerungen wurden wach, alle, unzählige ... Der Kanal in Ravenna im Sonnenuntergang, und du, du steckst mir ein paar Brombeeren in den Mund, säuerliche, süße ... Die kleine Kirche von Santo Spirito ... Die Fenster der Bibliothek, neben der du einst gearbeitet hast ... Der Bahnhof von Classe, das Büschel wilden Jasmins in deinen Armen, und du erzählst mir von den Geburten, bei denen du geholfen hast ... Und unser Bett, du darauf ausgestreckt, eine zarte, blonde Gestalt, die lebendigste Freude, die meine Augen je gehabt haben ... Und Hesperus* funkelt wieder über unserem Körper ...

* in der griechischen Mythologie der den nächtlichen Brautzug anführende Abendstern

Später habe ich die Sterne von meinem Fenster aus wieder gesehen, dieselbe Konstellation, die du von deinem Studio aus siehst ...*

Mein Freund hat sich nachts beruhigt, war glücklich über meinen Kuß, und hat mich gepriesen wegen der Liebe, die ich ihm gebe ... Heute ist er nicht ausgegangen, es geht ihm nicht gut, aber er ist *fast* heiter. Wie lange? Mit wieviel Bangen ich ihm beistehe ... Doch ich hoffe. (...)

Wenn du nicht arbeitest, welchen Sinn hat es dann, daß du fern bist? Haben wir diesen Schmerz aus dem Bedürfnis heraus gewollt, unser selbst würdig zu sein?

11. August 1909

Deine ganze Seele flammt göttlich vor mir auf. Kein anderer hat mich so geliebt. Zum ersten Mal fühle ich durch die herrliche, zeitlose Gabe, die du mir mit deinem Leben bringst, die erhebende Freude des *Empfangens,* und ich fühle mich wahrhaftig den Gipfel des Glücks erreichen.

Meine Frau, mit dir, für immer.

(...) Ich sammle meine ganze Kraft, damit es mir gelingt, den Freund von dem Irrtum zu überzeugen, in dem wir gelebt haben. Doch noch fürchte ich, daß es mir nicht gelingt. Im Moment hat er begriffen, daß er mich respektieren muß, er versteht,

* Es handelt sich um das Sternbild der Kassiopeia im nördlichsten Teil der Milchstraße, dessen fünf helle Sterne in Form eines "W" stehen.

wie schrecklich es wäre, für beide, wenn ich mich ihm wieder hingäbe.

Aber ich möchte nicht, daß er sich meinem Gesetz unterwirft, sondern er sollte die *Wahrheit sehen,* denn nur dann könnte der Schmerz ihn erleuchten und beschwingen. Doch seine Augen sind so fest verschlossen! Dennoch werde ich ihn nicht verlassen.

Lina, ich glaube, du mußt unverzüglich deine Theorie ausbauen. Das ist, denke ich, notwendig. Dann wirst du den menschlichen Ton finden, der allein zum Zuhören veranlassen kann. Möge dein Werk im Umkreis unserer Liebe wachsen. Zweifach gewürdigt. (. . .)

am selben Tag

Mein armer Gefährte verzweifelt immer mehr. Nicht nur wegen unserer veränderten Beziehung, sondern wegen der Liebe, die ich ihm entgegenbringe . . . Es sagt mir, daß ich mich nicht *aufteilen* könne, . . . daß ich mich, zu meinem Bedauern, entschließen und wählen müsse . . . Es wird soweit kommen, daß ich mir nichts als noch zwei Monate Leben ersehne, um meinem Sohn ein paar Worte zu hinterlassen und dann zu verschwinden. (. . .) Niemanden mehr leiden lassen.

18. August 1909

Liebe, meine Liebe, hier hast du zum Träumen meinen Kuß auf deinen lebhaften Mund! Hörst du nachts nie, wenn ich nach dir rufe, wenn es meinen Armen doch gelingt, dich festzuhalten, obwohl du am ganzen Körper zitterst! Ach, Lina, wie schön und schrecklich das ist!

Und von Stunde zu Stunde wird das Fieber in meinen Adern verzehrender. Ich kann weder arbeiten noch nachdenken. Auch ich verfalle in schwere Lethargien, aus denen mich nur die Notwendigkeit, meinem Gefährten mit Zärtlichkeit beizustehen, aufrüttelt.

Den ganzen Tag über eine einzige, ungestüme Freude: dein Brief, gleich, ob daraus Zuversicht und Seligkeit tönen oder vergebliche Sehnsucht. Meine Angebetete, wie kann ich so weiterleben? Du weißt nichts, nichts. Vielleicht werde ich dir eines Tages, an deiner Brust geschützt, alles sagen. In der Zwischenzeit aber höre mich, fühle mein göttliches Leid und küß mich (. . .)

Für Samstag morgen um sieben geb ich dir ein Stelldichein: ich werde noch im Bett liegen, unbeweglich, mit geschlossenen Augen. Der erste Gruß an diesem Tag soll von dir sein, (. . .) und ich werde den göttlichen Laut deiner Lippen wirklich hören, Geliebte.

Dann wirst du dich über mich neigen, und wir werden uns küssen. Lange. Und für einen Augenblick wird unser Glück vollkommen sein. Du bist stärker als ich, du mußt nicht so leiden wie ich, du kannst dich ohne weiteres dem Werk widmen, das du versprochen hast und das dich ganz zu einer heiligen Flamme zu entzünden vermag.

21. August 1909

Mein sehnlichster Wunsch ist, zu erfahren, was du über unsere Zukunft denkst, welche Lösungen wir dafür finden müssen. Dazu ist es nötig, sagst du, vor allem deine Beziehungen zu meinem Gefährten richtig zu bestimmen. (. . .) Ich weiß, daß es für dich äußerst schwierig ist, die Beweggründe seiner Seele zu verstehen, aber ich glaube trotzdem nicht, daß es dir unmöglich sein wird. Bemühe dich. Ihr seid derart unterschiedlich, daß ich mich bisweilen frage, aufgrund welchen Geheimnisses ich euch beide liebe und verstehe. Vielleicht gleicht er mehr als du jenem Ich, zu dem mich das Leben geformt hat, und du entsprichst mehr als er demjenigen, das die Natur vorgesehen hatte. Die ängstliche Empfindsamkeit seines ganzen Wesens, die sich in der furchtbaren Unduldsamkeit eines jeden unmittelbaren, verbalen Ausdrucks entlädt, gibt es auch in mir, das weißt du: ich kann mich darüber beklagen, aber ich kann nichts anders, als Respekt davor zu empfinden. Und du solltest es bei ihm akzeptieren, wie du es bei mir akzeptierst.

Und dann, bedenke, daß er in seiner und unserer besonderen Lage mehr denn je das Recht hat, sich ins Schweigen zurückzuziehen. Wir haben unsere Leidenschaft, Lina, doch er hat den Schmerz: und glaube mir, der eine wiegt die andere auf. Da ist diese außerordentliche, schreckliche Tatsache, daß ich nicht mehr nur ihm gehöre, daß ein Teil von mir in weiter Entfernung von ihm denkt, begehrt und lebt. Niemand kann so tun, als wäre das nicht so, und niemand ist dafür verantwortlich. Er hat mir auch erklärt, (. . .) daß *er nichts gegen dich hat,* daß er nur in mich hinein blickt und einzig daran leidet, was er dort an dieser neuen Empfindung, die ihm fremd ist, vorfindet (. . .)

Er hat mir gesagt, daß er mir für die Zukunft nichts zusichern könne; nicht zusichern, daß er in der Absicht, aus unserer Liebe und unserem gemeinsamen Leben so viel Freude und Gutes wie möglich zu ziehen, stets seiner Qual widerstehen könne. Schon jetzt schwanken die Tage und Nächte fast ruhelos zwischen den gegensätzlichsten Kräften des Geistes. Wir sind, mit unbeschreiblichem Zagen, dabei, die Grundlagen dessen zu prüfen, was wir doch notgedrungen neues Leben nennen. Das alte war sanft und schön, und es hatte Momente voller Größe, Lina! Wenn ich jetzt weniger leide als er, dann nur, weil ich den Irrtum kenne und empfinde, der trotz allem in jenem glänzenden Leben nistete. Er nicht, verstehst du? Er stimmt gegenwärtig absolut nicht mit meinem Urteil über die Beziehung, die wir gehabt haben, überein, und sagt mir immer wieder grob, daß es die Frucht einer geistigen Verwirrung sei, zu der *du* mich getrieben hast, begünstigt durch meine, ich weiß nicht recht, ob physiologische oder pathologische Veranlagung. Was das betrifft, glaube ich, daß er dir gegenüber Regungen des Zorns oder des Hasses spürt, genau so wie du zuerst ihm gegenüber. Das ist verhängnisvoll, denn es könnte in seiner Psyche nicht mit Sicherheit geklärt werden, was ihn an unserer neuen Lage mehr martert, ob die Gleichzeitigkeit meiner Liebe für ihn und für dich, oder das Aussetzen unserer alten Beziehung. Lina, begreifst du, daß ich dir kein Bild der Lage, in der wir miteinander ringen, geben kann, und daß jedes Wort, abgesehen davon, daß es dich ganz unnütz zum Teilhaber unserer Ängste macht, für deine Phantasie in der Ferne furchtbarer ist, als es die furchtbare Wirklichkeit sein kann. Etwas dagegen kann ich, Geschöpf meines Herzens, dir sagen: daß du mir trotz allem vertrauen sollst, vertrauen in meine Kraft zur Liebe und zum Schmerz. *Ich liebe euch,* dich und ihn, ich werde ausharren können, wie viele Wogen der Qual mich auch noch überschwemmen mögen, ich werde zu leben wissen, weil ich euch nicht verlieren will, weder den einen noch die andere, die ihr nun beide notwendig seid für das Atmen meiner Seele. (...) Du wirst in dieses Haus zurückkehren. Warum redest du von einer Atmosphäre der Heuchelei und der Verstellung, warum gehst du soweit, daran zu denken, unsere Liebe sei zur Heimlichtuerei gezwungen? Rührt doch der ganze Schmerz, von dem ich dir keine Vorstellung geben kann, von der grausamen Ehrlichkeit her, mit der ich meinem Gefährten die Kraft des Bandes, das mich an dich bindet, habe verstehen lassen. Er macht sich, jedenfalls im Moment, keine Illusionen.

Er weiß, daß du mir Überschwang und Freude gibst, daß ich nicht darauf verzichte, dich zu lieben, und daß ich diese Liebe außerdem rühme und genieße. *Er* weiß, daß ich nach dir rufe und dich begehre, er weiß, daß das Glück, kaum daß ich dich wiedersehe, jedes andere Lebensgefühl übertrifft.

Nur wird er, meine Freundin, all dem nicht gleichgültig zusehen können. Und er wird es stets vorziehen, hat er mir erklärt, dir aus dem Weg zu gehen. Er wird dir die Hand reichen können, wenn er dich trifft, denn er hat Achtung vor dir, aber ein Treffen wird er nicht wünschen.

(. . .) Er ist darauf gefaßt, mich die unbeschränkteste Freiheit nutzen zu sehen, Tag und Nacht. Aber, Lina, das ist alles. Und ich, die ich seine Leiden sehe, werde, das spürst du, nicht anders können, als Rücksicht darauf zu nehmen. Vielleicht ist der Part, der mich betrifft (. . .), am schwersten. Einmal will ich meiner Seele würdig sein.

24. August 1909

Wie liebe ich dich? Ich liebe dich wie meinen Schmerz. Du, voll Jugend, Kraft, Gesang und strahlender Freude, du bist eine schöne, lebendige Rose, die ich zu meiner Verzauberung betrachte, die einzige Rose, die ich auf meinem Weg getroffen habe, du, *du bist mein Schmerz,* voller Verhängnis, für immer. Deshalb liebe ich dich, wie ich noch niemals geliebt habe, deshalb wird mich nichts je von dir befreien, nicht einmal der Tod. *Nun weißt du es!* Und deshalb Schweigen. Warum wolltest du beherrscht werden? Geführt? Gehen wir nicht von der Gleichheit menschlicher Wesen aus? Warum soll jemand, der nicht beherrscht ist, zum Herrschen gezwungen werden? Warum soll das Liebe sein?

ohne Datum

Lina, du fragst mich, *ob ich dir folgen kann! Ich antworte dir, daß ich noch nie im Leben jemandem gefolgt bin,* trotz allem Anschein, und deshalb kann ich auch jetzt, da mein Leben schon zu zwei Dritteln durchlaufen ist, nicht damit anfangen.

Und, Lina, deine Frage überzeugt mich davon, daß du mich nicht wirklich kennst, auch wenn du mich so liebst, wie du mich liebst. Der Kern meiner Individualität, der sich selbst immer gleich bleibt, hat sich in allen extremen Lagen bewußt *allein* dem Schicksal gegenüber behauptet. (. . .) Ach, du hast dein System, deine Theorie, deine eigene Konzeption eines moralischen Lebens! Nun gut, vielleicht habe auch ich eine, meine eigene, unausgesprochen, aber schon gehärtet durch die Prüfungen der Wirklichkeit, während deine noch rein abstrakt ist.

(. . .) Ich glaube, wenn sich zwei Wesen lieben oder auch so glücklich sind, daß sie die edelsten Werte der Seele zum Lob der Menschheit erstrahlen lassen, dann ist das *wechselseitige Geben* der Liebenden (wie ausgerechnet Cena gesagt hat) unvermeidlich, schön und heilig.

Was sagte ein alter Weiser? *Im Schönen wirken, das ist Liebe.*

ohne Datum

Erinnerst du dich an den ersten Abend, als du mir deine Liebe angedeutet hast? Du hast von meinem Lächeln gesprochen und immer wiederholt: "Deine

Rätselhaftigkeit . . .“ (. . .) Du hast nicht begriffen, daß ich, schweigsam und geheimnisvoll für viele, die sich mir nähern, mich ganz und gar gebe, wenn ich liebe, ohne Rückhalt, und daß für mich Liebe ist, *sich der erwählten Seele hinzugeben,* oder dieser Seele zu erlauben, die unsere voll und ganz zu ergründen.

30. August 1909

Ich habe etliche Seiten geschrieben und beschließe, sie dir nicht zu schicken. Ich empfinde im Grunde Abscheu vor all den Debatten mit eisigen und folgenlosen Worten, mit denen wir uns anmaßen, einander die Tiefen unserer Seelen zu zeigen und die gemeinsame Zukunft zu entschleiern.

Meine Lina, reiche mir über die Ferne deine Hände, verharren wir ein wenig im Schweigen, nur im Gefühl unserer Liebe, diesem göttlichen Ding, das durch uns für uns geboren wurde. Ob aus der Ferne oder in der Nähe, es zählen und bleiben nur diese Stunden. Du wirst bald an die Seite deiner Freundin zurückkehren, ihr wieder in die Augen sehen. und sie wird wieder dein heftiges Herz erleben, das in Freudentränen zerfließt, so wie sich gestern abend die blutroten Wolken am römischen Himmel in zarte Andeutungen aus Gold, Grün und Azur auflösten. Hast du mir nicht oft wiederholt, daß du mir vertraust? Doch, ich glaube, daß du mich bisweilen wirklich wahrgenommen hast, jenseits aller ungewissen Worte und kläglichen Tränen. Verliere dieses Bild von mir nicht und fürchte dich nicht. Ich werde das Mißgeschick, sei es in mir oder außer mir, stets zu überwinden wissen; die mich lieben, werden mich immer lieben können.

(. . .) Mein Gefährte fordert von dir und mir nichts anderes mehr als *meinen Frieden.* So wie du. Warum könnt ihr euch nicht stillschweigend einigen, warum kannst du dir keinen Plan entwerfen, der meinen Lebensbund mit meinem Gefährten respektiert, denn er heißt ja jetzt meine Bindung zu dir gut. Bislang hast du es nicht getan, Lina. Vielleicht ist das schwerer, als sich mit einem Herzschlag loszureißen und zu *verzichten,* wie du es mir fast vorgeschlagen hast und ich es nicht akzeptiere. (. . .) Ich denke jedesmal mit anmaßender Leidenschaft und sanfter Zärtlichkeit an dich, begehre zuweilen deine wilde Umarmung und zuweilen die leichte Liebkosung deiner Finger auf meinen Augenlidern. Und möchte deinen frischen Gesang an das Leben hören.

Assisi, 29. September 1909

Oh die Sonne, die beim Tode des Frater Francesco gelächelt hat! Auf den verlassenen Straßen leuchtet das Gras zwischen den Kieselsteinen. Die Luft aus dem endlosen Tal ist leicht, irgendein Hahn kräht, und heute morgen, als ich langsam unter der goldenen Liebkosung dahinging, haben mir einige alte Frauen schön getan . . .

Gestern, während ich auf diesen Hügel stieg, hatte auch ich ein Lob auf den Lippen: auf das Leben, für unseren Gefährten, den Schmerz. Und ich wiederholte es, bei Sonnenuntergang, denn ich fühlte, daß es der Schmerz war, der meinen Blick angesichts des weißen Hesperus und anderer, dahinschwindender blutroter Wolken dort unten vertiefte ... Ich wiederholte es in der Mondnacht, im endlosen Schweigen, und heute morgen bei Sonnenaufgang, und dann unter der Sonne. Leben, du seist gepriesen für unseren Gefährten, den Schmerz, und für die weiten Horizonte, die Er entdeckt.

Und doch wäre das Sterben süß, ausgestreckt auf der nackten Erde unter den silbrigen Olivenbäumen. Eben, vor einem Moment, ist mir etwas Rot aus der Brust in den Mund gequollen. (...) Aber es ist nicht unser Bruder, der Tod, Liebste.*

Und ich werde das ganze lange Drama durchleben, so wie mein Bruder, der Dichter, und meine Seele, die den unbeschreiblichen Zauber der heiteren Schönheit und des Schweigens der Himmel empfindet, wird doch stets auf den Schrei der Menschen lauschen müssen, auf ihre verworrenen Sorgen blicken, und sich selbst, in ihrem Traum von Liebe, abmühen bis zum Ende.

Ich bin allein.

Allein zu sein, ist traurig, aber noch kann ich es ertragen, ja sogar schön finden.

Ich ergebe mich nicht, siehst du!

* im italienischen Originial heißt es "sorella Morte", "Schwester Tod" (A.d.Ü.)

ohne Datum

Noch immer denkst du, in deiner Liebe und deinem Schmerz, nur an dich, nichts fühlst du von meinem tiefen Ungeschick, du glaubst, ich sei schon genesen, jetzt oder in wenigen Tagen, und du weinst nicht über dich, Lina, Lina, während ich, auch in den finstersten Stunden, auch als ich begriffen hatte, daß ich nicht so geliebt wurde, wie ich glaubte, stets "für beide" litt, unser beider Unglück wegen ... Heute nacht träumte ich von dir: mit einer solchen Klarheit war mir das noch nie geschehen: wir waren in Rom, scheint mir, auf der Piazza del Collegio Romano; du hattest meine Hand gepackt, gepreßt und mit grausamen Augen auf mich gestarrt, so lange, bis ich anfing, vor Schmerzen zu schreien. Ich erwachte, und im Dunkeln weinte meine Seele wieder einmal um die andere in der Ferne, die nicht begreift! Heute morgen lag Nebel über der Ebene, ich sah, wie er langsam zurückwich. Jetzt ist die Landschaft in Richtung Perugia schon ganz in Licht getaucht, und durch meine Tränen blicke ich auf die azurblaue Reihe der Berge und die weiße Stadt mit ihrem Turm, ich schaue nach dir, die du nicht kommst, ob nun die Sonne strahlt oder Wolken auf der Erde lasten.

Gestern morgen habe ich dir einen Olivenzweig gebrochen, ich habe ihn hier.

Mein Freund hat mir geschrieben: "Laß' diese heitere Luft in dich dringen, und auch du wirst klarer werden, Klara ..." Und tatsächlich heißt so die Frau des Romans, den ich in mir habe ... Er hat mir auch gesagt: "Vielleicht kommt deine Freundin nicht, um dich zu beruhigen: mir gefällt die Vorstellung, daß sie selber leidet, wenn sie kommt . . ."

Klar und ruhig! Doch in meinem Innersten, das wißt ihr, bin ich so, auch in den Pausen der schrecklichsten Stürme: aber ihr wißt nicht, daß ich in dem Licht, das euch so beständig scheint, verbrenne, daß ich mich verzehre . . .

Die Straße vom Bahnhof steigt in weißen Windungen bis hier herauf: die Kutschen folgen, eine nach der anderen: jede Stunde meine ich, dich zu sehen, wie du mir Zeichen gibst. Da, endlich kommst du: wir lehnen den Kopf an die Schulter der anderen, umarmen uns nicht, weil wir spüren, wie sehr das geliebte Herz schmerzt. Dann setzen wir uns schweigend nieder, im Angesicht des Tales. Später dann werden Worte kommen, langsam, aus der Tiefe unserer Seelen: beide sind klar. Endlich auch werden unsere Augen leuchtend hell. Wir werden durchs Land und durch die Berge streifen und gemeinsam den Vorzeichen der Zukunft lauschen.

Lina! Warum willst du nicht kommen? Ich kann bis zum Fünfzehnten auf dich warten, wenn du jetzt beschäftigt bist, und warte ich in der Gewißheit deines Kommens, wird es mir vielleicht gelingen, mich durch Arbeit zu zerstreuen, wenn ich mich durch die Luft hier ein wenig gestärkt fühle. Mein Freund käme dann später. (. . .) Dich in Rom wiederzutreffen, wäre mir unerträglich, begreifst du denn nicht!

14. Oktober (1909)

Ich wollte mich zwingen, meinem armen Gefährten gefällig zu sein, und bin ausgegangen, zum Pincio* hochgestiegen und habe den Sonnenuntergang betrachtet. Bei der Trinita dei Monti+ habe ich an der kleinen Mauer ein Efeublatt gepflückt, für dich. Ich habe Männer und Frauen getroffen, die mich gegrüßt, unbekannte Leute aus dem Volk, die mir zugelächelt haben. Noch kann ich langsam, als Bild der Heiterkeit, mitten durchs Leben gehen. Ja, und ich kehre nach Hause zurück, öffne in der Dämmerung das Fenster, und dort, hoch oben, blüht der Hesperus auf, unser ewiges Zeichen. Lina, Lina, meine Gefährtin, hattest du mir nicht versprochen, auf den Wegen der Welt an meine Seite zu kommen? Ach, daß ich im vergeblichen Seufzen von neuem fühle, wie das Leben mir entgleitet! . . .

3. November 1909, morgens

Sie ist abgereist. Unter dem Himmel voller Regen flüchten die Spatzen. Ich sehe mich in den Zimmern um, in die sie, mit ihrem strahlenden Blick und ihrer siegreichen Liebe, nicht mehr zurückkommen wird. Warum lebe ich noch? Warum spüre ich, daß ich leben werde?

Mein Arm auf dem Tisch zittert und läßt die letz-

* Ein hoch über der Piazza del Popolo gelegener Aussichtsort in dem Park Villa Borghese (A.d.Ü.)

+ Die Kirche oben an der Spanischen Treppe (A.d.Ü.)

ten weißen Rosen beben, die sie mir gebracht hat. Auch sie werden verschwinden. Die Leere in meinem Leben wird von Stunde zu Stunde wirklicher, tiefer und unwiderruflicher werden. Warum lebe ich? Warum spüre ich, daß ich leben werde? (. . .)

Vor allem aber empfinde ich sehr stark, daß wir einander würdig waren: ich deiner reinen Jugend, du meiner durchfurchten, noch immer aber aufrechten Seele.

6. November 1909

Meine Lina, ich weine innerlich, nicht aus Schmerz, auch nicht aus Freude, sondern wegen eines heiligen Gefühls, das ich bisher noch nicht kannte. Ich denke an den Tag zurück, an dem ich Mutter wurde. Nicht bestürzt sein! Es ist noch anders. Mein körperliches Dasein hat nichts damit zu tun. Mein geistiges Wesen dagegen begreift, ohne recht zu wissen, wie das geschehen konnte, daß es endlich ein anderes Wesen *befruchtet* hat . . . Du, du, du! Oh, dem Leben sei gedankt!

Wie vor vielen Jahren überrasche ich mich dabei, wie ich mein Gesicht in dem kleinen Glas betrachte, das die verblaßte Photographie meiner Mutter bedeckt, hier auf dem Tisch, gegen das Fenster. Wie damals hebt sich mein Bild weich und kaum verhangen von dem leuchtenden Hintergrund ab, in dem das photographierte Bild verschwindet. Dennoch, ich muß eine andere sein. Ich habe dunklere

Augen, weniger rote Lippen, mein ganzes Gesicht scheint mir größer, mit flüchtigen und zugleich tiefen Schatten. Schatten? Der Widerschein der Liebe, Leidenschaft und Kunst, des Ruhms und des trostlosen Überdrusses an allem ...

Und wie einst angesichts der Offenbarungen der Natur fühle ich mich jetzt, angesichts menschlicher Schönheit, mit einem Male in meine Kindheit zurückversetzt, zu den lebhaftesten Empfindungen, noch bevor sie Sinn erhalten ...

7. Januar 1910

Meine Lina, mein süßes Leben, mein freudigstes Lächeln, noch einmal, ja, noch einmal grüße ich dich, während die Sonne, die uns heute morgen getröstet hat, wieder hell strahlt, und ich verspreche dir Kraft und Treue und küsse dich mit der Inbrunst einer Lust, die Raum und Zeit durchmißt und sich die atemlose Seele für immer aneignet. Meine Lina, nicht ich, sondern die Sonne Roms segnet dich und alle Dinge, und ich betrachte dich glücklich im Licht.

Angebetete!

Weißt du es? Im Innenhof des Bahnhof habe ich darauf gewartet, daß dein Zug abfährt. Ich habe gesehen, wie er sich in Bewegung setzte, dort hinter den Gittertüren, wie er mit dir, der bereits Unsichtbaren, verschwand. Dann bin ich auf den Vorplatz hinausgegangen, im Laufschritt fast, und fühlte dabei, daß so vieles, von dir in mir zurückgeblieben war, ja, deine Liebe, deine klare und feste Liebe, die mir nun sicher ist, für immer, für immer, für immer. (. . .) Ich sende dir eines der Veilchen, die du gestern hier noch auf meinem Tisch gesehen hast.

ohne Datum

Hast auch du die Einladung der Suffragetten für heute abend erhalten? Ich werde nicht zu dieser Versammlung gehen, außer du hast vor, dort den Vorschlag zu machen, von dem du mir erzählt hast (. . .) Zwischen den Veilchen blickt mich der kleine Stern an, den du singend für mich gepflückt hast . . . Meine Seele ist voller Rührung, mein Kleines, fast glaube ich, daß ich glücklich bin . . . Gestern abend habe ich von neuem mit meinem Freund gesprochen: er versteht und ist ohne Angst, ja, er hofft sogar Gutes für uns beide. *Ein Ding der Schönheit ist für immer eine Freude*, hat ein anderer Dichter gesagt.

10. Januar 1910

Lina, meine Freundin, ich lächle dir zu, denn du bist die Sonne meines Lebens. Verliebt bist du? Noch immer? Auch ich, weißt du! Wie im vergangenen März, erinnerst du dich? Und wie damals bin ich verwundert und verrückt. Kaum daß die tragischen Gründe des Schmerzes aus meinem Herzen weichen, fühle ich mich sofort wieder als junges Mädchen, finde mein fünfzehnjähriges Herz wieder, das sich nach der ganzen Schöpfung gesehnt, sie umarmt und dem Leben jede Stunde gedankt hat. (. . .) Was bedeuten Schmerz und Irrtum schon, wenn sie überwunden sind? Bitte mich nicht um Vergebung, Lina, ich habe nichts zu verzeihen. Sondern lächle mir zu (. . .), liebe mich, damit ich das kleine Licht meines Lebens in die Hand nehmen kann!

Und erzähle mir von dir, deiner Arbeit und deinen Träumen. Ich hoffe, daß ich dir bald etwas ankündigen kann, was dir Freude machen wird. (. . .)

Lina, ich küsse deine Stirn, deine Augen, den Mund, ich halte dich bei mir, für immer.

Eines Nachmittags verließ sie plötzlich das Haus, ohne zu grüßen, ärgerlich auf alle. Nach einer Stunde kehrte sie zurück, klingelte laut an der Haustür, ich sah vom Fenster aus ihr festlichstes Lächeln, und sie zeigte mir zwei weiße Blumen: "Für dich!" Sie kam herauf, gab mir vor allen einen langen Kuß auf den Mund und drückte mir die Blumen in die Hand. Ja, jetzt fällt es mir ein, es waren Glockenblumen vom Wegrand, vom morgentlichen Nebel benetzt.

Der Tiber war angeschwollen, überspülte die ersten Stufen der Treppe, auf der wir eines Abends hinuntergestiegen sind, um die Blumen unserer Liebe ins Wasser zu werfen, damit das Wasser sie zum Meere trüge.

17. Januar 1910

Die Liebe ist eine absolute Vereinigung, jenseits aller Unterschiede: sie ist das Wunder, das aus zwei sich ergänzenden Wesen ein einziges harmonisches macht. Beide Wesen erkennen sich – manchmal blitzartig – durch Intuition. Dann, wenn sie die Tugend der Liebe haben, erneuern sie jeden Tag den geheimnisvollen Akt des Erkennens, um dessentwillen der eine im anderen mit heller Freude die Kraft begrüßt, die er nicht besitzt, die ihm aber der andere im Tausch für das, was er erhält, gibt; keine unvollkommenen Kräfte mehr, sondern eine einzige, großartige, in der die Menschheit sich preist. Du hast dein *Ich* nicht überwunden, das ist alles. Nimm doch von mir, ja, denn ich gebe dir, aber du gestehst es dir nicht zu und gibst mir nichts dafür zurück, nie denkst du daran, daß ich dein Leben nötig haben könnte, und vor allem findest du in diesem Gedanken kein Glück: du kannst nicht lieben, du weißt nicht, was Liebe ist! Und trotz all dem, was ich erlitten, seit ich dich liebe (mehr gelitten als du, das weißt du!), möchte ich nicht mit dir tauschen, denn ich habe ein Glück besessen, das du nicht wahrhaben willst: ich war glücklich, als ich mein Leben an das deine fügte, und mein Herz hat sich auf magische Weise durch das ständige Erneuern meiner Gabe geweitet, und das ist gar nicht merkwürdig, Lina, es ist nicht merkwürdig, denn noch liebe ich dich und gebe dir Leben und du weißt es nicht. (. . .) Wenn die körperliche Leidenschaft Oberhand gewonnen hat, ist dieses Unglück nicht mir anzulasten. Ich meinerseits habe in deiner Umarmung niemals die Entschädigung für eine geistige Enttäuschung gesucht, und meine Umarmung war nie ein "wildes Rasen", sondern stets ganz einfach Liebe, eine Liebe, die sich in den höchsten Momenten in eine Flamme hoch gen Himmel verwandelt hat. Du hast mir ganz und gar gefallen, und ich habe dich ganz geliebt, die Gestalt deiner Gedanken wie die Linien deines Körpers. Das habe ich dir gesagt, und du gefällst mir noch immer, etwas anderes gibt es nicht, meine Freundin! (...)

Wann jemals habe ich den *Heroismus der Illusion* gefordert? Ich hatte dich gefragt, ob du aus der *Wirklichkeit, wie sie war,* Lust gewinnen könntest, aus der Wirklichkeit unseres Lebens, die wir zwar teilweise bestimmen, die zum Teil aber auch jenseits unseres Willens liegt. Ich habe dich gefragt, ob ich für dich die Liebe war, so wie du es für mich warst, unter allen Umständen, aus der Ferne und in der Nähe, jenseits des Schmerzes der anderen und unseres Schmerzes, im Opfer und im Sieg, getrennt durch tausend Dinge und doch bei jedem Atemzug vereint, fest verbunden, überzeugt von unserer Einheit, glücklich, glücklich, glücklich (...)

Noch immer bist du für mich eine bewunderswerte Kraft des Lebens, die das Leben über alle Maßen mehrt und verschönert! *Ich weiß,* daß ich mich nicht täusche. Wenn du nur wolltest! Denn du könntest dich in jener Wahrheit spiegeln, die außerhalb von dir und mir liegt, Lina, in der Flamme des vereinigten Geistes von uns beiden.

Dich so sehr geliebt zu haben, noch dein Herz von unendlicher, leidenschaftlicher Zärtlichkeit zittern zu fühlen, sich zu sagen, daß alles vergeblich war, daß du das nie empfunden hast und nie empfinden wirst, daß du nie Süße, Kraft und Vernunft des Lebens daraus schöpfen wirst!

Du weinst nicht einmal für mich, siehst du? Für dich, für dich, warum habe ich dich so über alle Maßen geliebt, denn wenn du mir gesagt hättest, daß mein Tod dich *glücklich* macht, hätte ich mich umgebracht. Und du hast stets geglaubt, daß ich nur *meine Lust* suchte, und gestern kommst du schließlich dazu, mir zuzugestehen, daß ich das Recht hatte, *sie mir zu nehmen, wo ich sie fand,* und dieses Recht gibst du mir auch für die Zukunft, nicht wahr? Und wirklich, ich brauche den Genuß so sehr! (...) Ich hätte mich zwar *für dein Wohl getötet.* Doch ich wußte, daß dein Wohl nicht in der Bindung an mich bestand. Auch wenn ich meine Pflicht, bis zum Ende an der Seite meines Gefährten zu leben, vergessen hätte, kannte ich doch die ebenso gebieterische Pflicht, dich *in Freiheit* zu lassen, nicht nur frei von den Gefühlen des Lebens, sondern auch von Reue und Skrupeln mir gegenüber. Oh Lina, ich habe mehr als du empfunden, daß wir *andere Schicksale* hatten (...), habe in meinem Innersten darunter gelitten, ohne etwas davon zu dir durchdringen zu lassen, weil ich nicht *durfte* oder weil ich jenes verhängnisvolle Leiden nicht mit hocherhobener Stirn überwinden konnte, und zwar *mannesmutig.* Doch zugleich glaubte ich, daß jenseits der getrennten Geschicke unsere strahlende Liebe läge, die uns vereint und in einem gemeinsamen Rhythmus durchs Leben geführt hätte!

(...) Wenn es Schicksal war, daß dir die Offenbarung der Wahrheit des Lebens nicht von meiner Liebe kam, wie groß und hochherzig sie auch war, so wirst du dich zumindest, wenn du jene Offenbarung haben wirst, daran erinnern, daß ich dir gesagt habe, daß es nur eine einzige Wahrheit gibt, nämlich die Harmonie unseres Wesens mit der Seele des Universums; eine Harmonie, die erreichbar wird, indem man die Wollust des Lachens und des Weinens, jede niedrige oder erhabene Vernichtung überwindet und indem man einfachen Herzens die *Liebe zum Leben und dessen Veränderung durch die eigene Liebe* akzeptiert. Leben bedeutet weder Lust noch Leid, sondern Liebe, Leben bedeutet, ein Herz zu haben, das unfähig ist zum Überdruß und bis zum letzten Augenblick mit dem Herzen der Menschen und Dinge schlägt.

Deshalb leben Dichter mehr als andere. Doch auch Dichter haben die Notwendigkeit, diese lebendige Liebe in einem lebendigen Menschen zu symbolisieren. Ich gehöre zu jenen, die im langen Lauf ihres Daseins dahin gelangen, in nur einem oder zweien die Seele des Ganzen zu bewundern und nichts weiter zu fordern. Und ich werde auch nichts weiter vom Leben verlangen, du, die ich geliebt habe, sollst das wissen.

In meinen Augen gibt es eine Gewißheit, die keinen Zweifel zuläßt: du hast Hoffnung und Vertrauen von mir abgewendet, *du,* nach der meine Seele sich gesehnt hat, um dich zu retten, mehr als alle anderen, mehr als meinen Sohn, mehr als meinen Gefährten!

(...) *Dein,* ja, so wie ich glaubte, du wärest mein, die allerhöchste Süße des Verlassens und der Vereinigung nach dem wunderbaren Erkennen unser beider Wesen, eins vom anderen angezogen, oh, nicht von einem Befehl des Blutes zur Erhaltung der Art, sondern von etwas Geheimnisvollerem und vielleicht Heiligerem, zum Lob der einigen Menschheit! Du hast mir nicht geglaubt, nicht auf mich gehört! Ich schwöre dir, wenn ich es nicht schon getan habe, daß die Einladung nach Orvieto in meiner Seele nur Streben nach dem Erreichen einer den Sinnen vollkommen äußerlichen Ekstase war, einer Ekstase eben, die ich danach nur noch ein einziges Mal gekannt habe, Lina, an einem Morgen bei den blühenden Gräbern, erinnerst du dich, meine Augen waren geschlossen, ich war an deiner Seite, nicht einmal meine Hand ruhte in deiner, nur mein Gehör wachte, und durch den Gesang der kleinen, unsichtbaren Gefiederten kam der ganze Reiz der Schöpfung zu mir Unbeweglichen, und mein Herz grüßte dich voller Anbetung, du Symbol des Lebens, du meine Einzige! ... Und ich *schwöre* dir, daß ich bis zu unserer Nacht in Ravenna nicht wußte, was uns erwartete, ich sehnte mich nur danach, deinen Seufzer des Glücks mit dem meinen zu vereinen, im Zauber der Stille und der Einsamkeit; und ich wußte nicht, daß ich in jener langen Zeit des Wartens, nach so viel durchgestandener, vergeblicher und unbegreiflicher Qual, nicht einen Moment daran gedacht habe, daß du das Geheimnis, dem wir entgegen gingen, als eine ganz normale Sache von *Hingabe* und *Eroberung* ansahst. Oh Lina, meine arme Lina, als du in jener Nacht die Arme ausbreitetest, war in mir ein göttliches Gefühl, das mich wirklich zu den Quellen des Lebens auf Erden zurückgehen ließ, und das auch in dir war. (. . .) Ich habe nie die unerbittliche Notwendigkeit (wie du es nennst) empfunden, mit deinen Nerven, deinem Blut, deinen Adern und deinem Fleisch zu leben: und noch viel weniger habe ich geglaubt, sie dir aufzuzwingen! Und all das unabhängig (beachte das!) von den tragischen Hindernissen, die mein Leben mit meinem Gefährten uns in den Weg gelegt hat! Hatten wir uns nicht seit Ravenna gesagt, daß wir eben das *nicht* in Notwendigkeit umformen *durften,* was ein seliges Geheimnis gewesen war?

10. März (1910), morgens

Gestern abend lächelte, ja lachte ich dir sogar zu, doch in mir war so viel Unruhe. Und ich konnte dir nur sinnlose Worte sagen. (. . .) Vielleicht war es mein eigenes Erschrecken darüber, daß es mir nicht gelungen ist, dir das zu verheimlichen, was dich immer mehr betäubte. Und wir haben uns so traurig getrennt! Als ich in mein kleines Zimmer zurückkehrte, war ich völlig erschöpft. Ich glaube, daß meinem Freund meine Verwirrung während dieser Tage nicht entgeht, auch wenn er mich nicht befragt. Wir gingen ins Theater: auf der Bühne war ein Mädchen, das dir nicht ähnelte, Lina, aber einen rebellischen Ton an sich hatte, der der deine war. Und die ganze Nacht, auch im Schlaf, habe ich von dir gesprochen, meine teure Freundin, habe dir die Tiefe meiner Seele gezeigt, gehofft und gelitten. (...) Warum kann ich mich nicht damit abfinden, daß alles, was du mir gestern gesagt hast, nur dein wunderbares Vermögen ist, mich überschwenglich zu preisen, und daß ich nur dazu bestimmt war, dir deinen Traum vorzustellen? (...) Wie der Widerhall einschläfernder Symphonien kamen Worte, Gesten und Seufzer aus anderen Zeiten, von Wesen, die so für mich gelitten hatten und mich so leiden machten, ganze Tage und Jahre ... Auch damals fachte das Geheimnis den Sturm an.

Wenn nicht offen, kam das Geheimnis fast immer verborgen und vergessen aufgrund der klaren Drohung, die die Liebe gewöhnlich für den Menschen darstellt. Gestern dagegen strahlte nur das große Wunder aus dir, der heilige Schrecken, der nichts besiegt. Und (vergib mir noch einmal) trotz der Pein, die du mir angetan hast, beneidete ich dich: warst du dem Göttlichen nicht viel näher als ich?

Aber nur der Augenblick gestattet das Göttliche. Lina, gestern sagte ich dir verworrene Dinge, aber du fühltest doch vage, daß jenseits jenes dürftigen Gestammels die leidenschaftliche Wahrnehmung deiner Wahrheit lag, deines Wohls, deines Glücks.

14. März (1910), 11 Uhr

Du frische Jugend, auch heute morgen hat mich die Morgendämmerung geweckt. Aus den Büschen auf der Anhöhe sendeten mit lebhafte kleine Kehlen Grüße in deinem Namen. Jetzt, unter dem Hagel, schweigen sie. Ich möchte gerne einen Moment lang dein Gesicht sehen und mir gewiß sein, daß es lächelt. Bis morgen! Wenn du kannst, laß mir einstweilen eines deiner Worte zukommen, Liebste.

ohne Datum

Das weibliche Element, hast du gesagt, und nichts hast du begriffen. Du teilst die Menschheit nicht in männlich und weiblich, sondern in aktiv und passiv ein. Eine verwirrende Konzeption, gibst du selbst zu. Tatsache ist jedenfalls, daß Männer, seien sie physiologisch oder psychologisch gesehen aktiv oder passiv, ihrer Gestalt nach stets Männer bleiben, und Frauen stets Frauen (vielleicht ist die Sprache nicht wissenschaftlich, doch das macht nichts). Ich möchte damit sagen, daß der kontemplativste und passivste Mann der Welt doch immer noch mehr Mann ist als die energischste und aktivste Frau (unschöne Worte). Und um ohne Umschweife zu unserem Beispiel zu kommen, du, meine Lina, energisch und aktiv wie nur eine, bist doch, ob es dir gefällt oder nicht, eine zarte, blonde, jugendliche Gestalt, und die Seele, die dir unbewußt auf die Lippen steigt und dir zwischen den Wimpern zittert, wenn Liebe und Schmerz bei dir die Oberhand gewinnen, ist die einer Frau, offener, zarter und leidenschaftlicher als die eines Mannes. Das schließt nicht aus, ich weiß das schon, daß reiche Naturen, sogenannte geniale Individuen, besonders Künstler, fast immer die psychischen Eigenschaften beider Geschlechter in sich vereinigen; und es schließt nicht aus, daß sich die Menschheit, wie ich glaube, in der Psyche immer mehr dem Komplexen und zugleich Einheitlichen nähert, aus dem einfachen Grund, weil einige Generationen gebildeter und freier Frauen genügen werden, um den *Begriff* des *Weiblichen,* auf den sich bislang die Erziehung und, wie ich meine, die Formung der weiblichen Psyche gestützt hat, zu verändern und Kinder hervorzubringen, die auf harmonische Weise beides sind, während noch heute die Dualität Quelle von Leid ist. Liegt nicht auch in mir selbst jener ewige Widerstreit beschlossen, von dem ich dir erzählt habe? Du findest mich *besonders weiblich,* ich meinerseits könnte dir sagen, daß *du mich nicht kennst,* denn all die Instinkte der Eroberung, der Herrschaft und des wilden Genußwillens, die ich besitze, stammen von meinem Vater, glücklicherweise verfeinert, und wenn sie in meinen tagtäglichen Gefühlen nicht erscheinen, bestimmen sie doch die grundlegende Richtung meines Lebens.

ohne Datum

Wir hatten nie den Mut, uns zu sagen, daß, wenn es in der Tiefe all dessen für uns einen von Leben und, ja, Schönheit durchdrungenen Sinn gab, *wir* uns ein Gesetz hätten schaffen, es entschlossen hätten befolgen sollen, ohne hinter uns und um uns herum zu schauen und ohne in uns hineinzublicken, in das, was in uns alt, ungewiß und dunkel ist.

Nun, in der ersten Zeit, als wir uns sahen und liebten, haben wir das instinktiv getan: vor allem ich habe es getan, deshalb war diese Liebe für mich von doppelt furchtbarer Schwere, du weißt, warum. (. . .) Ich errichte hier keine Theorie der Zügellosigkeit, sondern spreche im Namen unser aller Recht auf Freude, vielleicht auch auf Genuß: ein Recht, das ich der Logik nach eher vor meinem Gefährten geltend machen könnte, meinst du nicht? Ich spreche im Namen jener komplexen und kostbaren Sache, die unser Leben ist, deines, meines und das meines Gefährten: jedes braucht zum *Blühen,* um *das zu geben, was es zu geben hat,* ein gewisses Maß an Freude. In der Liebe hat die Frau, (jedenfalls nach dem, was ich von mir weiß) keineswegs jenen Sinn für *Unterwerfung,* den du, mit männlicher Psychologie, unterstellst. Die Theorie des Aktiven und Passiven, der *gegensätzlich* funktionierenden Nerven usw. usf. erfordert auch im Bereich des Anatomischen viele . . . Vorbehalte. Zunächst ist festzuhalten, daß ja keiner von beiden genau *wissen* kann, was der andere fühlt. Aber den Eindruck der Übereinstimmung gibt es, man schwingt im Gleichklang, wie du selbst gesagt hast. So, und wo ist nun das Aktive und Passive? Wo ist das Wesen, das der Lust des anderen unterlegen ist? Wenn du das Argument aufnimmst und mir entgegnest, daß das in den Beziehungen zwischen Mann und Frau geschieht, wenn die Frau die Vereinigung absolut nicht wünscht, antworte ich dir, nein, nicht einmal in diesem Fall ist es ... wie nennst du das? Prostitution? Es ist keine, wenn die Frau *auch* ein denkendes Wesen ist und jene Vereinigung *will*, aufgrund einer Liebe, die über den Impuls ihres Blutes hinausgeht, und aus einem Bedürfnis heraus, in dem sie die *Schönheit* des Aktes erfährt. Hier berühren wir einen für deine Theorie entscheidenden Punkt.... Ich vertrete jedenfalls die Existenz der *Persönlichkeit* auch in der *Hingabe* in außergewöhnlichen Fällen. Und behaupte, es ist nur ein Übel, wenn die *Hingabe* ohne Liebe erfolgt. (...) Du warst versucht, denselben Frevel zu begehen, mit dem du die Männer abstempeln willst, den Frevel, *ohne Liebe zu genießen und dabei von der Verworfenheit anderer zu profitieren.* (...) *Das* ist das Übel, der Liebesakt, der ohne Liebe vollzogen wir. Die Homosexualität verlagert oder *schwächt* das *nicht ab*, denn wäre sie weit verbreitet, würde sie binnen kurzem die selben Phänomene physischer, ökonomischer und moralischer Gewalttätigkeit hervorbringen, die heute das Privileg eines einzigen Geschlechtes sind, es noch sind ... Wir wissen, daß jede Wahrheit zwei Seiten hat, oder auch, daß es immer *zwei* gleich achtenswerte Wahrheiten gibt. Wir wissen, daß nur das das *wahre Absolute* ist, das uns erlaubt, *im höchsten Maße wir selbst zu sein*, das unsere individuelle Entwicklung zur Verwirklichung unseres *besten Ich*, am wenigsten behindert. Die ganze Sittlichkeit besteht in der Größe dieser idealen Vision unseres Ich. Nun einmal angenommen, ich wollte für einen edlen Zweck *leben*, um ein Werk der Schönheit oder der Güte zu verwirklichen, und daß ich *zum Leben* einerseits das Glück mit dir *brauche* und andererseits auch meinen Freund glücklich machen möchte; dann sagt mir meine Wahrheit, daß in meiner zweifachen Beziehung (die du Hingabe nennst) *nichts Schlechtes liegt*, denn die eine ist durch Lust, die andere durch Zärtlichkeit gerechtfertigt ... Endlich! Ich bin das Übel, denn ich müßte es sehen und spüren: und sehe und spüre ich's nicht, dann ist es, für mich, *nicht da*. Und das ist, beachte das, eine ebenso unwiderlegbare logische Wahrheit wie die, die du verkündest, und sie ist nicht anstößiger als die deine für "einfache Geister". All dein Argumentieren schreckt mich nicht, hat mich auch nie geschreckt: du kannst sicher sein, Liebste, daß du schwerlich ein anderes Wesen finden wirst, Mann oder Frau, das zum Verständnis bereiter ist als ich.

Aber gerade, weil mich deine Behauptungen nicht schrecken, bin ich in der Lage, meinerseits andere aufzustellen, die vielleicht, oder sogar sicher, gewagter sind, und nicht nur Opposition. Gestehst du mir zumindest auf intellektueller Ebene das Recht zu, nicht *passiv* zu sein? Anscheinend nicht, denn du sagst, kaum daß ich mit subtilen Überlegungen anfange, daß du mich nicht wiedererkennst. Ich weiß nicht, was ich dagegen tun soll. Und dann willst du nicht, daß ich von Vermännlichung rede! Aber beachte, das sind alles Gewohnheiten der männlichen Psyche, der Psyche, die sich der Mann gegen die Frau geformt hat.

Warum über mich urteilen? Meine Position ist

die *schwierige,* wie du sagst, aber sollen wir sie nicht *verhängnisvoll* nennen? Und warum sagst du: "Ich kann meine Lust nicht vor deinen Frieden setzen?" Und meine Lust, warum zählt die nicht? Glaubst du wirklich, ich liebe dich um *deiner* Lust willen?

Gestern habe ich im Studio eines Malers einige nackte, in einem wunderbar empfindsamen Ton gemalte Frauen gesehen, anmutige Körper von leuchtender Blässe. Und an meinem Zusammenzucken habe ich noch einmal die Tiefe dessen empfunden, was mir dein Körper offenbart hat, Lina, meine Freundin! Ich hätte sterben können, ohne diesen Schauer gespürt zu haben, ich hätte weiter leichthin an den erregendsten Symbolen der Schönheit vorbeigehen können, ohne in ihr Geheimnis einzudringen ... Begreife mich doch, bei Gott! Diese göttlichen Bilder, der schöne Marmor und die schöne Leinwand lösen bei mir auf magische Weise das Wiederbeleben der Gefühle aus, die ich vor deiner Nacktheit und Reinheit empfunden habe. Und das wird immer so sein, immer, verstehst du, denn du wirst *die Einzige* bleiben. Daß ich dich doch für lange, glückliche Zeiten wieder sehen und in meinen Armen aufnehmen könnte, oder die Lust lebt nie mehr auf, wird die *einzige* bleiben, und nicht nur in der faktischen Wirklichkeit, sondern auch im Begehren und im Traum bleibst nur du.

Ist das nicht das Absolute?

ohne Datum

Du gefällst dir darin, deine Eigenschaften, und nicht nur die guten, an ”heroischen“ Beispielen zu messen. Warst du es nicht, die mir von Ugo Foscolo* erzählt hat? Aber, Lina, der Heroismus erhält sich in der Welt nicht durch Vorbilder, sondern durch originale Beispiele. Wenn ich dich geliebt habe, dann weil ich in dir einige Elemente dieser göttlichen Originalität zu entdecken glaubte: nicht, weil du mir mehr oder weniger Foscolo, de Musset oder dem jungen D'Annunzio ähnlich erschienen bist. Es gibt allein ein Gesetz, meine Freundin, nicht nur für die anderen, sondern für alle menschlichen Wesen: *sich selbst zu sein,* mit Geduld, Vertrauen und Achtung aus uns hervorzuholen, was *nur unser ist* und das Leben bereichert, sei's mit Worten, Taten oder nur einem Lächeln. (. . .) Und du, meine Freundin, bist noch nicht *du selbst* und tust nichts, um es zu werden. Es ist eine Illusion, die dich zur *Vermännlichung* treibt. Du bist eine Frau; wenn du eine geniale Frau bist, mußt du andere Eigenschaften haben als ein genialer Mann, und wenn du sie noch nicht entdeckt hast, dann erforsche dich, statt dich mit den vergänglichen Ähnlichkeiten mit großen und kleinen Brüdern zufriedenzugeben. Du fühlst dich mehr von weiblicher als von männlicher Schönheit angezogen; warum hast du, als ein Beispiel, dieses Phänomen noch nicht als Frau studiert und *durchlebt?* Du leugnest eine Entstellung in dir, und ich sage dir, sie existiert.

* Romantischer Dichter des 19. Jahrhunderts (A.d.Ü.)

Schon früher hast du dich wie irgendein kleiner Verführer benommen, der das Elend der Psyche und der weiblichen Empfindungen kennt und, für sein gutes Vergnügen, skrupellos davon profitiert, und es scheint, du hast das auch in Zukunft vor. Don Giovanni. Aber was *du* bist, eine junge, bewußte Frau mit einer Seele, die umso mehr am Elend ihrer Schwestern leidet, als sie unter deren äußerlichem Zauber steht, das tritt nicht in Erscheinung, *lebt nicht,* Lina. Ich habe das gespürt, ja, und gesehen, in den höchsten Augenblicken, und ich habe es geliebt; wenn es sich enthüllt hat, habe ich es geliebt, indem ich mich darin wiedererkannt habe; und weil ich mich wiedererkannte, habe ich es nie verloren. Nie habe ich in dir den Jüngling gesehen, wohl aber die Frau, immer, da ich doch selbst Frau bin. Nicht wahr, ich habe dir das bis zum Überdruß gesagt? Und du hast meine Äußerungen nie aufgenommen, hast dich weiterhin verhalten wie ein naiver Kavalier (...), was mich auch immer ein wenig hat leiden lassen. (...) Sogar in deinen Gedichten leugnest du deinen wahren Zustand. Ich rechtfertigte meine Liebe zu dir, weil sie einzigartig ist, weil ich dich weder gesucht noch erwartet habe; und du hast mir eine Art der *Ekstase* offenbart, die ich nicht kannte und die nicht wieder aufleben kann: verhängnisvollerweise folgte darauf die physische Lust, sie hätte aber auch nie folgen brauchen (...), wie auch immer, auch diese Lust wird für mich, mit anderen Frauen, nie mehr aufleben. (...)

ohne Datum

Du glaubst nicht mehr an das menschliche Leben und auch nicht an das universelle der Natur, der Welten und Formen. Du glaubst, daß alles einfach ohne endlichen Zweck sei und ohne die Möglichkeit etwas vorherzusehen, durch wen auch immer. Lina, kommst du erst jetzt zu dieser philosophischen Auffassung? *Ich habe stets so gedacht!* Vielleicht ist es mein Glück, daß ich, auf der Suche nach dem *Absoluten,* keine qualvollen Krisen durchleben mußte ... Philosophisch gesehen habe ich immer mit dem Begriff des *Relativen* gelebt, des Menschlichen, der Erscheinung, parallel dazu mit dem konstanten Sinn für das Geheimnis oder, wenn du willst, für die Harmonie des Ganzen

Ich habe philosophisch nie an das ideale Gefüge, das wir Existenz nennen, geglaubt. Ich habe immer nur auf mich vertraut, weil ich mich, in einer Welt unbestimmter Formen, als *einzige Realität* empfunden habe. Das ganze Leben ist nur der Widerschein meines Daseins. Und mein Dasein hat keinen endlichen Zweck, umreißt keinen Kodex, sondern *lebt,* ja, *wächst* sogar und sieht die Welt der Erscheinungen um sich herum wachsen. Es wächst, und ein Instinkt wird offenbar: ein Instinkt, den man Liebe nennen kann oder Schönheit oder Harmonie, der dazu drängt, anderes Leben zu schaffen und das Geheimnis zu beherrschen. Das ist alles. Es handelt sich nicht um Idealität, sondern um Realität. Eine Realität, die mir paßt, und die mich durch sich selbst zufriedenstellt. Warum sich ihr entziehen?

Ich bin nicht verpflichtet zu leben, aber auch nicht, nicht zu leben. *Ich bin.* Und ich wiederhole, so wie ich bin, bin ich gut für mich. Ich habe meine Realität, die, ich wiederhole, mein ganzes Leben widerspiegelt. Und um sie zu bewahren, habe ich nicht die Notwendigkeit, an eine *Mission* zu glauben ... *Ich habe niemandem außer mir selbst über meine Existenz Rechenschaft abzulegen.* Doch dieses Selbst mit seinen Instinkten, der Liebe, Schönheit und Harmonie, ist unendlich tyrannisch und fordert für sich allein die wahnsinnigsten Bemühungen, die aber, das ist wahr, durch solche Belohnungen ausgeglichen werden, daß das menschliche Wesen einen Augenblick lang dem universellen Wesen nahe kommt ...

Ich bin die Sklavin meiner Gier nach Größe.

An dem Tag, an dem diese Gier aus irgendeinem Grunde nachläßt, wird alles einfach zu Ende sein. Doch solange ich lebe, *werde ich meine Realität für mich selbst preisen.* Wußtest du das nicht? Du hast mich für humanitär, für christlich, für was weiß ich gehalten. Ach meine Lina! Nein, nicht unsere *Vorstellungen* liegen miteinander im *Widerstreit.* Ganz einfach, Lina, ich habe eine *Tugend zum Leben* in mir, die der deinen überlegen ist, der jedenfalls, die du in den letzten Monaten allmählich gezeigt hast und in deinem Brief von gestern zusammenfassen wolltest ... Die Größe besteht darin, es zu leben und kostbar zu machen, trotz des Nichts, das es umgibt. (...)

Du gibst dem Leben keinen Wert (...), weil dein Leben noch von keinem einzigen starken Schmerz durchkreuzt worden ist, und im Moment *ist dir nichts versagt.* Aber wenn ich dir nun morgen sagen würde, ich liebte dich nicht mehr. Wenn du deine Kraft verlörest und die Dinge nicht mehr nach deinem Willen beherrschen könntest ... Wenn du die Beute eines gemeinen und niederträchtigen Wesens würdest ... Wenn du einem tauben Haufen vergebliche Worte des Lichts sagen würdest ... Wenn eine kleine Blüte aus deinem Blut dir an der Brust dahinsiechte, ohne jede Hoffnung ... Ach Lina, dann würdest du den Wert des Lebens, einer in dunkler Leere pendelnden Flamme, eines Geheimnisses ohne Sinn und einer glorreichen Wirklichkeit spüren, ja, ganz einfach ... Du dagegen verweigerst dich dem Schmerz. Du möchtest keine Kinder, du hältst es für lächerlich, für was auch immer zu kämpfen, du suchst den Tod aus Ekel vor einem möglichen physischen Elend, das dich befallen könnte, und in den Tod nimmst du dir die Beute meiner Liebe mit. Du beraubst das Leben.

(...) Verstandesmäßig nennst du dich. Ach, Lina! Und doch habe ich in dir eine göttliche Kraft zur Leidenschaft und Zärtlichkeit geliebt, und eines Abends habe ich dir einen heiligen Namen gegeben, erinnere dich! Wie kannst du Dichterin sein, wenn du für dich die Fähigkeit zur Liebe leugnest! Du nennst die Liebe eine Illusion! Illusion eines Augenblicks, nach dem "das Erwachen aus der grausamen Finsternis umso bitterer ist". Sag das nicht! Sag mir, daß du mich nicht geliebt hast. Sag mir, daß nicht ich das Wesen war, dazu bestimmt, dich glücklich zu machen, sag mir, daß *ich* dich enttäuscht habe, und du wirst nur die tragische Wahrheit bestätigen, die ich schon geahnt hatte. Aber sag nicht, daß du zur Liebe nicht fähig bist, denn wenn das wahr wäre, Lina, würde ich dich wegen der Liebe, die mich noch immer verzehrt, sofort umbringen, dich von der unnützen Last eines Lebens befreien, das keines ist, eines Lebens ohne Kraft und Wärme . . .

Wenn man liebt, Lina, liebt man *immer.* Keine Augenblicke der Illusion, sondern eine ewige göttliche Wirklichkeit. Ich habe an dir sogar jenen "dunklen Schatten" geliebt, von dem du sagst, du habest ihn über meinen sonnigen Weg geworfen. Meine Seele hat dich stets in Licht umgeformt, wie alle Schatten des Lebens. Du und das Leben, ihr wart für mich eins. Oh, eines Tages wirst du lieben und begreifen. In einigen Monaten, in einigen Jahren, wenn diese Krise des Verneinens, in der du *mich verlierst,* wie du sagst, vorbei ist, wirst du dich jung und unversehrt wiederfinden und einer anderen Seele das absolute Lebensglück geben, das du angesichts der meinen nicht empfunden hast . . . Ich dagegen verliere mit dir das Glück für immer.

Nun, Lina, ich weine blutige Tränen, aber ich verdamme das Leben nicht, und ich werde, bevor ich abtrete, einige Worte des Dankes hinterlassen. Ich habe geliebt, ich kann sterben.

ohne Datum

Ich frage dich nicht, wie du zu mir von *Bruch* hast sprechen können und das einen *Ausweg* nennst. Ich sage dir nur, daß ich nicht von *Bruch* sprechen will, ich will nicht und kann nicht, Lina. Eher noch vom Tod. Aber *Tod im* Leben, nein, das *ist kein Ausweg.* Schon einmal, ich weiß nicht mehr wann – der Weg der Liebe und des Schmerzes ist schon so lang – hast du mir denselben Vorschlag gemacht, auch damals im Namen *meines Friedens.* Und auch damals habe ich dir wohl gesagt, daß für mich Frieden *ohne* dich nicht mehr zu verwirklichen ist. Meine Lina, liebe ich dich zu sehr?

Nein, man liebt niemals zu viel, und wenn ich sterbe, werde ich nicht diese Schuld mit mir nehmen. Und dann, in dir liebe ich nun auch mich, verstehst du?

Ich fühle, daß all die Tränen, die mir die Augen verbrannt haben, seit ich dich gesehen, all das Blut, das in meinen Adern verbraucht wurde, seit ich dich kenne, die zehn Jahre, die dieses Jahr nun schwerer auf meinen Schultern lasten, all die Gedanken, das Lächeln, die Träume und Tollheiten (. . .), alles, was *ich* war, ist auf *dich übergegangen,* und jetzt, begreifst du, jetzt kann ich dieses mein ganzes Leben nicht um alles in der Welt fahren lassen und nichts mehr davon wissen, ich kann nicht verstümmelt dahinsiechen.

Ich will das Leben voll und ganz. Wie sehr du mich auch hast weinen sehen, und wie sehr ich auch geweint habe in weiter Entfernung von dir, ich verabscheue Tränen, und ich erinnere mich gut an den tragischen Widerwillen, den mir die Tränen meiner Mutter eingeflößt haben, als ich ein junges Mädchen war, ich weiß, daß es keine Schönheit und Wahrheit gibt außer im Lächeln. Und jetzt muß ich wählen, denn so kann ich nicht weitermachen: entweder habe ich die Möglichkeit, von neuem zu lächeln, mit freien Lippen, oder ich wähle den Tod.

ohne Datum

In was besteht die Überlegenheit dessen, was du Romantik nennst, über das, was für dich Klassik ist? Eben das *Unbegrenzte* ihrer Essenz. So, und wie kommst du dazu, mich eine Absolutistin zu nennen? Das *Absolute* hat ganz genaue Umrisse, das Absolute ist klassisch.

Sie vom Absoluten sprechen zu hören ... Bin ich nicht auch so gewesen? ... Und sie bewundern, mit einem Schauer der Freude ... Ja, jetzt kann ich der einzigen Wahrheit nicht mehr geblendet folgen, jetzt bin ich alt und feige, für die anderen und für mich, doch noch gibt es eine, die ihrerseits vermessene Gewißheiten besitzt, es gibt die Jugend ... Schönste, Schönste, Schönste ... Gesegnete!

Alles, was ich kaum ahne, verwirklicht sie. Sie ist die junge, freie und beherrschende Frau ohne Ängste, bereit zur Lust und zum Schmerz, immer voller Mut.

ohne Datum

Du hast mir einmal gesagt, daß es dir nicht gefällt, für die, die dich lieben, ein Symbol zu sein. Weißt du, daß du auch für mich eins bist? Doch beruhige dich. Mein Mystizismus – und das hast du ja auch gesagt – mischt sich auf's Vollkommenste mit meinem Realitätssinn. Daß du leben mögest, meine schöne Abstraktion, ist eine Lust für meinen Geist, aber auch für mein Herz: daß du so leben mögest, mit deinem Aussehen wie ein frischer Sproß, mit deinem kleinen, rosa Gesicht ... Fürchte nicht, daß ich mich täuschen könnte oder möchte: Mit festem Blick habe ich all das von dir akzeptiert, was du mir offenbaren wolltest. Ich habe gelitten, und doch habe ich dich immer tiefer geliebt, mit der bitteren Wollust, in meiner schon so oft geprüften Seele auch all deine Leidenschaft sammeln zu können, sie neu zu durchleben, voller Schmerz, wie deine Jugend voller Schmerzen war. Lina, und ich sehe dich jetzt mit der Angst vor dem Nichts ringen; zittere nicht, meine Angebetete, ich zittere nicht, weil ich dich liebe und möchte, daß die Liebe auch diese Angst besiegt.

Ja, ich liebe die besternte Nacht, liebe das stürmische Meer, die erblühte Rose, alles, was sich selbst genügt, was, für unser Empfinden, die größte Kraft, Schönheit und die großartigste Weite hat. Und wenn ich ein lebendiges Wesen liebe, liegt es an ihm, daß ich in ihm die Gesamtheit menschlicher Empfindungen finde, an ihm, daß ich in ihm etwas schwingen sehe wie in noch niemandem zuvor, etwas, das mein Verstand bereits ersonnen hatte und das so beschlossene Wirklichkeit wird.

Der Philosoph spricht stattdessen von Form, Phänomen und Erscheinung.

Nun gut. Aber eben darum ist es etwas unendlich Kostbares, wie all das, was unseren Augen die Symbole des universellen Geheimnisses enthüllt, wie die Sterne, wie das Meer, wie die Blume.

ohne Datum

Ich sende dir einige "Weihnachtsrosen", die du an Weihnachten nicht finden konntest. Sie gehören zu meinen liebsten Blumen, es sind die einzigen, die die winterliche Natur in diesen eisigen Monaten hervorbringt. Gestern abend, als ich eine Versammlung für das Frauenstimmrecht verließ, war es, als hätte ich dich zur Seite und sagte dir Edles und Süßes, nur über uns, und nachdem wir soviel Verdruß an den engstirnigen Reden ausgehalten hatten, fiel mir plötzlich ein, daß ich Sonntag morgen von der Straßenbahn aus bei einem Blumenhändler in der Via Babbuino flüchtig einen kleinen Strauß gesehen hatte, der so aussah wie die ersehnten Anemonen.

Und trotz der späten Stunde lief ich los und tatsächlich, ich fand sie dort. Liebste, ich hoffe, sie halten ein paar Tage lang. Ich bin ganz beschwingt nach Hause zurückgekehrt. Halte mich nicht für ausschweifend und kindisch, mit meinem dauernden Bedürfnis – das mich nicht losläßt (und das du nicht wahrhaben willst) – mit dir zu leben. . . . Weise das stille Liebesangebot nicht zurück, das ich dir so aus der Ferne mache, in jeder meiner Stunden, einfach und arglos zwar, aber mit viel Freude!

Sieh, der Spaß ist wie mein inneres Lächeln, wie die Farbe und der Duft meines Gedankens, ein wenig Schönheit, die nur für dich blüht und die ich selbst für dich auflese ...

Man nennt die Anziehungskraft in der Liebe von Gegensätzlichem geheimnisvoll! Aber ganz und gar nicht! Wohl aber versuchen wir, das Geheimnis des Lebens zu durchdringen, wenn wir ein Wesen lieben, das uns am gegensätzlichsten ist.

ohne Datum

Habe ich dir gesagt, daß du *stets* versucht hast, meine Seele zu verletzen, in der vergeblichen, heftigen Gier, sie nackt ans Licht zu zerren? Doch meine Seele, du mein Geschöpf, meine Seele ergibt sich nicht so leicht, *auch nicht sich selbst.* Sie sieht und schweigt und entfernt sich immer mehr zu unsichtbaren Ufern. Kannst du dir vorstellen, was das für ein Leben ist, das ewig dieses Schweigen in sich trägt, schwer von all den Worten der Menschen und vielleicht auch anderer?

(...) Ich glaubte, daß du, Frau, dich mehr als jede andere Seele der meinen nähern würdest, daß sich vielleicht, vielleicht das Wunder einer vollkommenen Vereinigung erfüllen würde ... Ein wahnsinniger Gedanke, doch jedenfalls bin ich glücklich, daß er meinen Himmel funkelnd durchzogen hat. Danach habe ich das tragische Wesen der Liebe, einer jeden Liebe, begriffen.

Du hast mir nicht wehgetan, nein. Vielleicht wird der Mensch vom Leben selbst, von all seiner Wucht und seinen Stumpfheiten verletzt? So viel vom Leben, das ich nicht kannte, hast du mir verkörpert. Du warst und bist, Angebetete, die Jugend, die ich nie gehabt habe, und du warst und bist die Leidenschaft, zerstörerisch und schöpferisch zugleich, Orkan, Feuersbrunst und Morgenröte über der verjüngten Welt.

Du hast mir nicht wehgetan. Hat sich dir wenigstens die fundamentale Gier meines Lebens offenbart? Ich will nicht, daß mir irgendetwas erspart bleibt, weder die Gipfel der Lust noch die Gipfel des Schmerzes.

Alles ist stets zu seiner Zeit zu mir gekommen und hat mich bereit vorgefunden. In meinem Leben gibt es nicht die verworrene Not dessen, der sich in Erfahrungen und Gefahren stürzt, um *sich zu messen.* Meine wenigen Ereignisse heben sich lebendig vom Hintergrund der Zeit ab, und jedes hat seine spontane, tiefe Bedeutung. Und jedes Mal ist mein ganzes Wesen dabei und ich lebe, als wäre ich nur für dieses eine Mal geboren.

(. . .) Du willst, daß ich *entscheide,* nicht wahr?

Nun, *dieses Mal* habe ich das *Sehnen* kennengelernt. Ich habe mich von Anfang an danach gesehnt, dein Geheimnis kennenzulernen, mit einer Intensität, die der schon überlegen war, die mich geleitet hat, als ich in Liebe das Geheimnis männlicher Seelen entdeckte: du warst die erste Frau, die ich geliebt habe. (. . .) Ich war in dich, in deine ganze Person verliebt. Ich wußte nicht, was mir der Zauber zweier Augen, eines Gesichtes, einer klaren Linie bedeutete: weder wußten es mein Herz noch mein Blut. Und dann bist du gekommen. Du hast mir nicht wehgetan. Doch das Sehnen, Lina, das Begehren hat mich nicht mehr verlassen. Und du willst wissen! Was willst du wissen? Wir haben beschlossen, uns zu trennen. (. .) *Ich werde nie auf dich verzichten,* das habe ich in den Tagen tragischer Prüfung empfunden. Ich werde mich immer nach dir sehnen. Du wirst die einzige sein, die ich begehrt habe, die einzige, der mein Blut und mein Verstand die göttlichen Worte der Trunkenheit und Lust gesagt haben. Du willst wissen? Ich könnte dich lieben, was auch immer geschähe, ich hätte den mutigen Stolz dazu, das sage ich dir, ins Licht blickend, und ich schiebe zur Seite, wie du über mich urteilen könntest. Und du? Könntest du, würdest du es wagen? Gib acht, es ist einfach und schrecklich. *Ich weiß,* daß auch du *nicht mehr lieben wirst,* das heißt, daß das Leben dir niemals mehr geben wird, was dir meine Liebe gegeben hat. (. . .)

Hast du gespürt, daß ich dir heute mehr von dem, was ich dir mit meiner Liebe schenkte, gegeben habe?

Einheit.

ohne Datum

Hast *du* mir nicht gestanden, daß du mir noch nicht *alles* von dir gesagt hast, daß du niemals deine *ganze* Seele *für mich* geöffnet hast? Was ist das anderes als Betrug an meiner Liebe und an meiner Seele? Unbewußt vielleicht, aber doch Betrug, denn ich habe *geglaubt,* daß du dich mir gegeben hast wie ich dir, eben ganz. (...) Wegen dem, was in meiner Seele *tot* ist, kann ich mich schon Opfer eines Verbrechens nennen, das vielleicht auch unbewußt, aber doch wirklich ist. (...) Ich warte: vielleicht stimmt deine Wirklichkeit mit meiner Intuition überein, und in einer solchen Hoffnung *kann ich warten ...* Trotzdem wird das Faktum bleiben, daß du mich nie mit der absoluten Hingabe und der absoluten Ehrlichkeit geliebt hast, deren ich, achte darauf, würdig war, wegen meiner selbst und wegen meiner Liebe, dessentwegen, was ich war und was ich dir gab. Dieser unendliche Schmerz wird bleiben. Und du hast recht, er wird nicht aufgewogen werden können. Was nicht heißen soll, daß ich nicht glauben würde, was du mir schließlich von dir und deiner Liebe erzählen wirst, wenn du es mir erzählst. Lina, Lina, laß mich dich bitten, unseren Schmerz zu achten, ihn nicht mit unnützen Ausbrüchen verletzten Stolzes zu erschweren und zu verfälschen! Lina, glaube mir, daß ich dich trotz allen Wehs, das wir uns gegenseitig angetan, geliebt habe und *noch liebe,* daß du fortgehen kannst, mit Würde im Herzen. Ist es nicht diese Liebe, die wir retten wollen? Haben wir uns nicht schon gesagt, daß es deshalb notwendig ist, uns von jeder Angst voreinander zu befreien, also auch von jeder abgeschmackten Eigenliebe, daß es notwendig ist, uns zu den Quellen unserer innersten Wahrheit zu begeben und dort zu suchen, ob unsere Abwesenheit dort wirklich *eine* ist, wie wir es erträumt haben? (...) Du befreist dich jetzt mit den Flügeln der Poesie vom tragischen Geschick, doch ich, Lina, ich dagegen *durchlebe* dieses Geschick, ich durchlebe es schweigend, ohne einen Moment der Ruhe, und vielleicht sterbe ich daran ...

17. März 1910

Der Sonnenuntergang senkt sich auch über deinen Wald nieder. Die Kronen der Pinien sind wie Feuer, die Stämme schimmern rot, das Rauschen zwischen den Büschen wird stärker. Du, Trunkene, gehst, die Haare an den Schläfen ein wenig feucht. Du singst. In deiner Stimme liegt ein Seufzer, ein fernes Lachen findet ein glucksendes Echo, und die Liebe ist gegenwärtig, die Liebe zu deiner einzigen Frau, die dir Schönheit und Glanz gegeben hat, Licht und Harmonie ... Du rufst nach ihr, rufst sie, und deine Adern pulsieren, die Augen röten sich in der letzten Sonne, und plötzlich wirfst du dich zur Erde, glaubst, aus dem weichen Teppich die angebetete Gestalt hervortreten zu fühlen ... Ich bin es! Ich bin es! Nimm mich! Hier ist mein Mund für dich, den nur du wirklich geküßt hast, hier ist meine Brust, meine Augen, hier bin ich ganz, mit dir, in dir, damit die Nacht uns nie mehr trennt und die Dämmerung uns morgen in ewiger Ruhe findet, mit dem letzten Lächeln des Sieges ...

21. März (1910)

Er hat versucht, mich zu trösten, wegen dir und mir: er ist so gut und hat ein solches Vertrauen in das Leben, das ich ihm bereitet habe! So begreift er nicht. Auch ich habe in den letzten Tagen nichts begriffen. Ich lauschte dir, und deine Stimme war wie das Tosen des stürmischen Meeres unter der Sonne, und ich war ausgelöscht. (...) Ich lebte in dir. (...) Ich bin glücklich, daß ich dich getroffen habe. Außer der meines Dichters habe ich keine Seele getroffen, die so reich und schön und tief gewesen wäre wie die deine ... Mit wieviel Leidenschaft habe ich sie festgehalten, Lina! Dafür danke ich dir, dafür habe ich dir die rote Blume aus meinen Bergen mitgebracht, dafür bist du von nun an in mir, du hast meinem Leben eine neue Note hinzugefügt, einen Klang des Leids, aber auch der Kraft, und die *Eroica* von Beethoven spricht zu mir, für immer.

16. März 1910

Jetzt weiß sie es. Weiß, daß ihre ganze Liebeskraft nur dazu gut ist, das Leben derer, die sie liebt, verzweifelter zu machen. Wenn sie wenigstens eines der beiden Geschöpfe, die sich an sie klammern, hassen würde, so richtete sich wenigstens eines auf und flüchtete weit weg, mit rettendem Haß im Herzen. Doch sie liebt beide. Und sie weiß jetzt, daß sie die beiden geliebten Wesen nur rettet, indem sie sich ihnen entzieht. Beide wollten sie kleiner, und jeder wollte sie nur für sich. So wie sie gestaltet ist, mit der vielfältigen Seele aus Flammen, die sie weiten und absondern, finden sie beide monströs und ziehen vor, daß es sie nicht gibt ... Geh, ver-

schwinde, tritt ins Nichts ein, du, die du das Leben zu sehr geliebt hast.

ohne Datum

Ich gab dir die Substanz der Liebe und des Schmerzes, reiche Gedanken in gesuchten Worten, das *Herz* des Lebens gab ich dir. Und doch schien mir das noch wenig, gemessen an dem, was, ohne dein Verdienst, von dir zu mir kam: das *Antlitz* des Lebens, das du in meinen Augen warst . . .

19. März 1910

Wenn du mir auf den Straßen der Welt herbe Brombeeren pflückst oder kleine Weizentriebe im März, könnte ich dir sagen, daß ich die Symbolik dieser Gaben kindisch finde: stattdessen lächle ich dir zu, gerührten Herzens. Auch du lächelst, wenn ich dir im Garten meiner Seele zarte Phantasien sammle, zugleich aber erklärst du die Belanglosigkeit des Traums und zerstörst ihn, ohne dich zu bemühen, ihn zu durchdringen, ohne deinen Geist von jener langsamen Magie überzeugen zu lassen, die ihm meine Liebe hatte einflößen wollen . . .

ohne Datum

Liebe gab es in dir schon nicht mehr, Bitterkeit und Widerwillen kämpften bereits mit dem rein sexuellen Verlangen, und ich habe das nicht begriffen, habe das nicht gewußt. (. . .) Nun, und deine Briefe? Ich bin sie alle durchgegangen, alle, die ich bewahrt habe, seit Assisi. Fast tägliche Briefe, und nicht einer paßt folgerichtig zum anderen. Ich könnte dir die wichtigsten dieser Briefe aufzählen: dir die Daten der Tagen näherbringen, in denen du mich gepriesen hast, Tage, in denen du mir eine allgemeine Bitte um Verzeihung vorgetragen, Tage, in denen du über den Schmerz geweint hast, der von dir zu mir kam. Alles in allem versichere ich dir, daß sie zu dem ungeheuerlichsten Rätsel werden, das ich mir im Fieberwahn je vorgestellt habe.

Hättest du die meinen noch, könntest du zumindest ein einziges beherrschendes und dauerndes Gefühl feststellen, klar und gebieterisch, jenseits aller Nebel der Niedergeschlagenheit: meine Liebe, die sich immer gleicht; nie eine schwankende Minute, lauter und ungeteilt, auch in der Verzweiflung.

ohne Datum

Ich habe mir in großen Zügen eine Erzählung ausgedacht, in der, mit veränderten Personen und unter veränderten Umständen, eben die Analyse unserer Liebe geschehen soll. Jetzt begreife ich, wie du Dramen und Tragödien schreiben konntest, als ich, auch auf dem Papier, nur noch zu Schluchzern fähig war. (. . .) Ein Titanenkampf gegen den Angriff des Wahnsinns, in jeder Minute, wenn ich an die Ungeheuerlichkeit des Betrugs an mir denke. Aber ich bin frei.

Hymne an das Leben

Oh, Tod gib mir deine Gabe
damit ich mich damit begnüge

Walt Whitman

Ich habe das Leben geliebt.
Und das Leben hat mich geliebt, bis heute.

Bis heute waren ich und sie ein einzig Ding, ein einziger Atem.

Heute haben wir uns gelöst. Ich betrachte sie, schon in weiter Ferne.

Und weil ich sie geliebt habe und sie mich, sende ich ihr einen Gruß, ja, ich segne sie.

Sie ist fern, und mein Gruß vereinigt uns noch einmal, für einen Augenblick.

Ich segne dich, abgeschlossenes Leben!

Ich segne dich für das, was du warst, und ich segne dich, damit du mich voller Liebe läßt.

Du weißt, ich hätte dich nicht hassen können, Leben!
Du bist zu schön, zu groß, stets.

27. Mai 1910

Aus. *Dieses Mal hat das Wort einen so präzisen Sinn, klingt so gelassen sogar, daß es mir aus unempfindlichem Stoff zusammengesetzt scheint, etwas wie ein Kasten aus Zink tief in der Erde.*

Aus. *Gestern abend hat mein Gefährte gesehen, wie ich, einfach so, zu Boden gestürzt bin.*

Aus. *Eine letzte Erschütterung: ich biß die liebevolle und hilfreiche Hand, wütete gegen mich, und schickte dann das Abschiedswort ab; es ist vorbei.*

Ich streckte mich auf dem Bett aus, hatte keine Tränen mehr, und Stumpfheit umfing meine glühenden Glieder. Das Morgengrauen fand mich ohne Staunen, streng und bereit.

Aus. *Eine Erleichterung, sich das zu wiederholen. Keine Hoffnungen mehr, keine Ängste, keine Unruhe, keinen Schrecken mehr.*

Aus. *Mittlerweile ist alles in mir verschlossen, ich erwarte mir nichts anderes mehr als Leben und Tod; in meinem Tagwerk vermag niemand mehr etwas Gutes oder Böses.*

In mir war die göttliche Kraft, bis zum Tode zu lieben, das zweifache Leben dessen zu leben, der liebt, doppelter Schmerz und doppelte Lust, eine Seele ständig im Gegensatz zur anderen, in einer ewigen Erschaffung Gottes. In ihr war sie nicht. Sie hat sich gelöst, nachdem sie lange Zeit schon unbewußt darauf abgezielt hatte, jetzt verstehe ich es. Sie konnte die Liebe nicht mehr als sich selbst lieben. Sie hat dem Gott nur einen Augenblick geopfert, den Moment, den jede Kreatur kennt.*

Ich bin nicht zurückgewichen. Doch weil sie sich schließlich meinem Willen als hoffnungslos unterlegen erweist, lasse ich sie verschwinden, zu Nebel werden, zu schwerelosem Atem, ja, und alles ist vorbei, mein zweifaches Leben tot, ich bin von neuem nur ich, *ein Ding der Freiheit und Einsamkeit, immer noch wunderbar, aber nicht mehr über*

* Sibilla bezieht sich hier auf den Eros als mystische Erfahrung einer Totalität, die im Grunde nicht begriffen werden kann.

mich hinausweisend, nicht mehr übermenschlich, nicht mehr göttlich. Aus.

ohne Datum

"Meine Seele hat Flügel, aber keine Waffen", schluchztest du eines Tages ... So ist mein Bewußtsein von dem, was mich erwartet, wenn ich vor den eisigen, in der Sonne strahlenden Gipfeln, Zeichen finden werde, die noch von Leben zeugen, oder Stärke noch von Liebe. Lina, ich rufe nach dir mit dem Namen, mit dem du mir teuer warst, Lina, Geschöpf, ich habe dich erschaffen, indem ich dich liebte, und du warst keine Illusion ...

Aosta, 8. Juni 1910

Heute habe ich meinen ersten Ausflug nach oben gemacht. Jenseits der Gruppe von Hütten unter den Kastanien, jenseits der einsamen Lichtung aus leuchtend grünem Gras, das die Landbewohner Reveries *nennen, erreiche ich den Bereich der Tannen. Ich kam an einen engen Schlund, vor einer riesigen Felsenwand. Ein Wildbach stürzte tosend den schmelzenden Schnee hinab. Ein wenig weiter oben war sein Bett noch eine kompakte, weiße Masse. Ich führte mir eine Handvoll Gefrorenes an die Stirn und lief dann einige Minuten lang auf dem Eis spazieren. Die Tannen im Umkreis strebten hoch in den Himmel, höher als die großartigen Felsen, eine jede für sich, von der Wurzel bis zum Wipfel, in einem strengen Willen: braun und schweigend. Die*

Sonne sickerte durch die Nadeln der Zweige, ließ den Duft in der Luft herber werden. Und auf den äußersten Spitzen ganz oben glänzte das ewige Weiß. Endlich, Endlich nach so vielen Tagen und Nächten, benetzte eine Träne meine Wimper.

DREI BRIEFE VON LINA

Ravenna, 7. Mai 1908

Seid gegrüßt, Sibilla, und da Ihr die Aufforderung, Euch zu schreiben, erneuert, fasse ich Mut und schleudere Euch den Aufschrei meiner schmerzerfüllten Brüderlichkeit entgegen: Ich habe jetzt, da ich Euch kennenlernte, Euren Roman tiefbewegt wieder gelesen, und immer, wenn ich zwischen den einzelnen Teilen, die durch den Stil ein wenig unverbunden und vernachlässigt sind, den leicht hochmütigen Typus der allerneuesten Rebellin – geheiligt vom Martyrium in die Zukunft blickend – sich abzeichnen sah, traf die Erinnerung an Euer Gesicht, das ich in den Galerien von Florenz so viele Male auf den Bildern des 15. Jahrhunderts gesehen habe, mit plötzlicher Verwirrung mein Herz, und in meinem Kopf hat sich dabei die Überzeugung festgesetzt, daß vieles aus Eurem Leben in Eurem Roman sei. (. . .)

Und aus der Ansichtskarte ersehe ich nun die Liebe, an der es Euch nicht mangeln konnte, die Liebe zu den riesigen, flachen Weiten voller Schweigen und Geheimnis, verlassen unter dem unendlichen Himmel: Sibilla, auch ich, von meiner grenzenlosen Ebene* aus, die sich zum von Pinien be-

* Ravenna liegt an der Po-Ebene

grenzten Meer vorstreckt, auch ich, in der tragischen Süße gewisser Stunden, die langsam auf dem großen Berg von Überresten aus alten Zeiten verrinnen, auch ich suche mühsam nach dem Warum der menschlichen Niedertracht und schreie meine vergebliche Revolte gegen all den Mißbrauch, alle Gewalttätigkeiten und Ungeheuerlichkeit unseres zivilisierten Lebens hinaus. Und im Gefühl einer Würde, die sich nicht schmähen läßt, die heiteren Auges die universelle Bosheit und Unlauterkeit herausfordert, um angesichts des Lasters oder Elends das eigene Recht auf die Askese der Vollkommenheit zu behaupten, grüße ich Euch, Schwester; oder süße und stolze Albunea, Sibilla Tiburtina*. Ich stehe erst am Anfang. Ihr seid schon vorne, laßt mir die Freude, mir rasch vorzustellen, wie ihr leuchtet in der Sonne.

5. Dezember 1909 +

Cena, wir töten Sibilla.

Ich überwinde meine Liebe, meinen unendlichen Schmerz, und rufe Euch zu, daß Sibilla sterben wird, unsertwegen, und daß es für mich nichts anderes mehr gibt als diese Realität. Die Verzweiflung.

Cena, nur ein Mal hört auf mich. Ihr habt mich nie verstehen wollen: stoßt die brüderliche Gemeinsamkeit des Schmerzes nicht zurück, wenn Ihr die

* Albunea hieß in der Mythologie die Sibylle, die in einem Wald bei Tivoli wohnte; sie wurde auch Sibylla Tiburtina (vom Tiber) genannt.
+ an Giovanni Cena

des Willen zum Guten nicht habt annehmen wollen: ich bitte Euch, hört mich an: aus der Tiefe meiner Qual rufe ich Euch zu, daß wir Sibilla töten.

Laßt uns, endlich, an sie denken!

Ich werfe alles auf den Scheiterhaufen. (. . .)

Ich vertraue auf Euch. Sagt, was Ihr tun wollt, zu tun ratet, ach, Cena! Zeigt mir nur ein Gramm Vertrauen, und ich gebe mein Wort, daß ich Euch werde beweisen können, dessen nicht unwürdig zu sein. Doch hören wir auf damit, uns dieser großen, so unglücklichen Seele mit unserem Elend und unserem Leid in den Weg zu stellen, dieser Seele, die nicht mehr aus sich lebt und nicht für sich und schließlich noch vor Tränen sterben wird.

Und wenn die Angst mich jetzt daran gehindert hat, angesichts Sibillas Qual die Erschütterung meines Gemüts in diesen unglückseligen Zeilen hier verständlich zu machen, laßt es zu, daß ich Euch anflehe, nur auf die Hand zu achten, die sich Euch bietet, und die gehört Eurer Sibilla. Oh, nehmt sie an Euer Herz zurück, sagt ihr, sie solle nicht weinen, unterstützt sie, tröstet sie, gebt ihr Hoffnung, denn sie stirbt, das ist das letzte Wort, das ich Euch sage.

*zu Hause, 8. August 1910**

Erinnerung, Sibilla.

Der Tag ist nah, und ich fürchte, daß ich dir nicht rechtzeitig das Wort meiner Erinnerung und meines Wunsches für die Zukunft zukommen lassen

* Der Brief ist mit Linas Pseudonym gezeichnet: Tristiano Somnians.

kann. Bist du noch bei diesen "Hütten"? Erreicht dich die Post dort oben regelmäßig? Höre, meine Liebe. Wie hart dir, aufgrund böswilliger Interpretationen, mein Vorgehen auch erscheinen mag, und trotz der Schmerzen, die du mit mir erlitten hast, durch die Umstände, durch das Leben, höre: Wenn du an deinem Geburtstag, dessen wir letztes Jahr aus der Ferne, doch gemeinsam mit viel Liebe gedachten, einen Hauch von Reinheit und Glut suchst, der dein Innerstes beleben möge, so erinnere dich daran, mich nah bei dir zu halten, denn an jenem Tag werde ich aus ganzer Seele deine Kraft und Hoffnung grüßen, und den schönen Wunsch vom letzten, fernen April in Rom erneuern. In Rom, hoffe ich, werden wir uns recht bald wiedersehen. Kommenden September bin ich dort. Das Werk, von dem ich dir erzählt habe, ist vollendet, und es bleibt mir nichts anderes mehr zu tun, als es, nach geduldiger Überarbeitung, abzuschließen. Ich hoffe, daß ich aus deiner Anerkennung etwas Würdiges gemacht habe. Und aus deinem Lächeln.

Das Bild dieses Lächelns wird mich immer begleiten, wie das kleine Kinderporträt, mit dem du meine stürmische Jugendlichkeit einst trösten wolltest. Ich grüße dich auch von Santi, den ich letzten Donnerstag geheiratet habe und der mit strenger Inbrunst in Arbeit versunken ist.

Schreib mir, wenn du kannst.

Erzähle mir von dir, wenn du kannst.

Ich segne dich und küsse dir die Hände.

BIOGRAPHISCHE NOTIZ

Sibilla Aleramo (Pseudonym für Rina Faccio) wurde 1876 in Allessandria im Piemont (Oberitalien) geboren. Die frühe Kindheit verbringt sie in Mailand, ihre Jugend in einem kleinen Dorf im Süden Italiens.

Mit sechzehn Jahren heiratet sie einen Angestellten ihres Vaters. Zehn Jahre später verläßt sie ihren Mann und ihren Sohn, geht nach Rom und beginnt an ihrem ersten, autobiographischen Roman zu schreiben. Una donna erscheint 1906 und wird ein großer Erfolg.

Trotz des plötzlichen Ruhms versucht sich Sibilla Aleramo nicht weiter als Schriftstellerin, sondern engagiert sich in verschiedensten sozialen Bereichen. In den folgenden Jahren beteiligt sie sich an Alphabetisierungskampagnen auf dem Lande, und versucht, die Situation der Kinder im Umkreis von Rom zu verbessern, indem sie dort Schulen und Kinderkrippen errichtet.

Mit Zeitschriftenartikeln und Broschüren greift sie in die Diskussion über die "Frauenfrage" ein. Mit ihren Beiträgen, die mit Nachdruck darauf hinweisen, daß die Frau, über die Erlangung der sozialen und ökonomischen Gleichstellung hinaus, vor allem von ihrer psychischen und sexuellen Unterdrückung befreit werden muß, trägt sie wesentlich zu einem neuen Verständnis der italienischen Frauenbewegung bei.

Mit dem Dichter Dino Campana erlebt sie eine leidenschaftliche Beziehung, die wegen ihrer offen praktizierten "Freien Liebe" in Italien großes Aufsehen erregt. Mit ihm reist sie durch Europa.

Ab 1919 beginnt sie wieder zu schreiben und veröffentlicht mehrere Romane und Gedichtbände. 1945 erscheint ihre zweite Autobiographie Dal mio Dario *(Aus meinem Tagebuch), die die Jahre während des Krieges schildern.*

Auch als Übersetzerin von George Sand, Charles Vildrac und Marie de la Fayette ist sie bekannt geworden.

1960 stirbt Sibilla Aleramo in Rom.